サイエンス・ベースド・イノベーション

science-based innovation

──ディープテックのマネジメント──

奥山 亮

時 潮 社

はじめに

　2019年末に中国で発生した新型コロナウイルス（COVID-19）は、2020年に入って世界中に感染が広まり、5月末時点で世界の累計患者数は600万人を超え、死者数は約37万人に上った[1]。ワクチン開発に多くの取り組みが成されるなか、注目を浴びたのが、mRNAワクチンを開発している米国モデルナであった。COVID-19のゲノム配列が、中国チームによって2020年1月10日に公表されると、モデルナはワクチン候補の創製を行い、わずか2ヶ月後の3月16日に、臨床試験で最初の被験者への投与を開始した[2]。その1ヶ月後の4月16日には、合成生物学のバイオベンチャーである米国ギンコ・バイオワークスが、モデルナのワクチン製造の支援を表明した[3]。

　モデルナとギンコ・バイオワークスは、ハーバード大学やマサチューセッツ工科大学（MIT）の研究成果をもとに、2010年前後に設立されたディープテック・スタートアップ（先端の科学技術を用いたイノベーションをめざす新興企業）である。いずれも、2019年時点で、企業評価額が10億ドルを超えるユニコーン企業に成長しており、市場から大きな注目を浴びている。

　先端科学技術の製品・サービスへの応用は、ワクチン開発に限ったことではない。人工知能（AI）を活用した自動運転や画像・音声認識、ゲノム編集による食品改良、遺伝子治療による難病治療などは、ニュース等で耳にする

1）世界の感染600万人、中南米のまん延深刻　新型コロナ 日本経済新聞2020年5月31日
2）Moderna HP　https://investors.modernatx.com/news-releases/news-release-details/moderna-announces-first-participant-dosed-nih-led-phase-1-study
3）GINKGO BIOWORKS HP　https://www.ginkgobioworks.com/covid-19/

機会も多いだろう。先進的な科学技術は、日々進歩を遂げ、それがイノベーションに活用されて、我々の暮らしを豊かにしている。特に、ITやライフサイエンス分野では、科学的発見や技術革新がイノベーションを牽引し、市場を形成・拡大してきた。2015年以降は、ディープテックと呼ばれる様々な先進技術が、環境や社会問題を含む多くの課題解決に活用される気運が高まり、その応用範囲は、自動車や宇宙関連などの輸送事業、金融などのサービス、環境・エネルギー、製造プロセスなど多岐に渡っている。

このように、「サイエンス」に基づくイノベーション（サイエンス・ベースド・イノベーション＝science-based innovation）は、産業の発展に大きく貢献しており、近年、その重要性はますます高まっている。サイエンス・ベースド・イノベーションの活性化は、産業競争力や国力に大きな影響を及ぼす国家課題とも言え、サイエンス・ベースド・イノベーションの効果的なマネジメントにも、大きな関心が集まっているのである。

サイエンス・ベースド・イノベーションは、サイエンスを生み出すアカデミア、サイエンスをイノベーションにまでつなげる企業、それらを政策的に支える国、といった産学官の多面的な視点から考察される必要があり、そうした特徴を考慮した独自のマネジメント論が求められる分野である。しかし、世間で「イノベーション」についての解説書や論述は多いが、それらは、必ずしも先端サイエンスを活用したサイエンス・ベースド・イノベーションに焦点を絞っているわけではない。むしろ、異なる性質をもつ多くのイノベーションの類型を、厳密に区別せずに扱ってしまっていることが多い。

しかし、イノベーションとは、「経済価値をもたらす改革行為」すべてを指す言葉であり、一口にイノベーションを推進すると言っても、個々のイノベーションにはいろいろな起点が存在する。イノベーションが、しばしば「技術革新」と誤訳されるため、誤解されている向きも多いが、イノベーションには、新発見や技術に基づくもの、市場ニーズから導かれるもの、新たなビジネスモデルやサービスのアイデアから始まるものなど、多様なパターンがある。そうしたイノベーションの源泉の違いによって、イノベーション

がたどる軌跡、イノベーションに関わるステークホルダー間の関係性や各々
の役割、イノベーションを担う人材像や企業戦略、イノベーションに影響を
与える政策など、イノベーション創出や促進に関わる諸々の要因もまた、異
なってくるはずである。

　すなわち、サイエンスを活用したイノベーションを正しく理解するために
は、ディープテック（Deep Tech）に焦点を当てた、サイエンス・ベースド・
イノベーションに特化したマネジメント論が必要なのである。イノベーショ
ン、という言葉は、今や様々な機会で日常的に耳にする汎用語となってきた。
企業経営者のメッセージには、イノベーション促進といった文脈が頻繁に登
場するし、安倍政権が掲げる経済政策のなかでは、第3の矢である成長戦略
の一つとして、イノベーションの活性化が謳われている。

　イノベーションという言葉が一般化し、誰もがイノベーションの重要性を
認識するようになったからこそ、様々なイノベーションが有する特性の違い
を理解し、より細分化した精緻なイノベーションマネジメント論が求められ
る時代になっているといえよう。

　本書は、大学等の研究機関で行われる基礎研究から生み出される新たな科
学知識や先進技術といった、いわゆる「サイエンス」を源泉としたイノベー
ションに焦点を当てている。こうしたサイエンスは、多くのイノベーション
創出の原動力となってきた。医薬・バイオ製品には、サイエンスをベースと
したプロダクトイノベーションがとりわけ豊富である。医学生物学の基礎研
究による生体機能の解明や、生体原理を利用したバイオテクノロジーの開発
によって、多くの新規医薬品が創出されてきた。

　2018年に本庶佑先生がノーベル医学生理学賞を受賞した理由となった画期
的な癌治療薬は、癌細胞が自己の免疫機構から逃れる仕組み（免疫チェック
ポイント）を解明し、その原理に基づいて創製されたものであるし、近年製
品化され始めた核酸医薬品の一部は、2006年にノーベル医学生理学賞を受賞
したRNA干渉の原理を活用したものである。染色体外で生存できるアデノ
随伴ウイルスの発見に端を発する遺伝子治療薬の開発や、染色体上の特定遺

伝子配列を選択的に改変できるゲノム編集技術を活用した食品改良など、医薬・バイオ分野では、サイエンスを起点としたイノベーションの例が多数存在する。

　IT産業も、イノベーションにおけるサイエンスの貢献度が高い。半導体の開発と改良には、量子力学が明らかにした原子の構造と原子中での電子の振る舞いといった科学的知識が大きな役割を果たしてきた。

　近年、人工知能（AI）を活用した製品やサービスが次々と開発されているが、これは1940年代から研究されてきたニューラルネットワークの認識力を大幅に高めるディープラーニングの手法が、トロント大学で2006年に見いだされ、それが端緒となって急速な産業応用が進んでいる。もともとは電話網に代わる新たな通信システムとして大学で研究されてきたインターネットや、高度化を続ける情報処理・情報通信技術は、プロダクトイノベーションのみならず、 e-コマースやフィンテック（FinTech）などのサービスイノベーション、ビッグデータ活用による商品管理や製造プロセス効率化などのプロセスイノベーションを生み出してきた。

　このように、サイエンスは、イノベーション創出に幅広く活用されており、先端的な科学知識や先進技術をどうイノベーションに結びつけるか、を理解し考察することは、イノベーションマネジメントにおいてきわめて重要な論点なのである。

　科学技術の発達は、上述の医薬品やITのみならず、これまでサイエンスとは必ずしも縁が深くなかった産業にも新たなイノベーションを生み出している。日本が高い国際競争力を誇る自動車産業では、従来の機械システムが電子機器で置き換えられ、車体のIT化が進んでいる。また、AIを用いた自動運転が試みられており、IT企業の自動車業界への参入や、自動車メーカーとIT産業の提携が活発化している。

　モノのインターネット（IoT）が進み、家電や医療機器をはじめ、多くの製品がネットワークに接続されて制御される時代になってきている。また、金融では、フィンテックと呼ばれるITと融合した新しいビジネスが次々と生み出されている。小売業では、AIを用いたセンサー技術によって、レジ

を無人化して販売を効率化した店舗が実用化されている。こうした、産業の
サイエンス化、とでも呼ぶべき状況が、多くの業界で起こっているのが、近
年の特徴である。

　2018年頃から、ディープテックという言葉をよく耳にするようになった。
大学や研究機関で基礎研究が積み重ねられてきたディープテクノロジーは、
先進テクノロジーに立脚した新しいビジネスを生み出している。

　ゲノム編集や遺伝子治療薬などのバイオテクノロジー、人工知能、光通信
技術、先端材料やロボティクスなど、広範な分野の先端的なサイエンス＆テ
クノロジーが、環境・エネルギー、農業、介護など、様々な社会課題の解決
に利用されつつある。

　ディープテック・スタートアップへの投資は、2015年以降急拡大しており、
裾野が広がるサイエンス・ベースド・イノベーションの将来性に、大きな期
待が集まっている。このように、サイエンスを活用したイノベーションは、
新しいビジネスや産業を次々と生み出す起爆剤にもなっており、その重要性
があらためて認識されている。そのため、経営学においても、イノベーショ
ンの源泉としてのサイエンスを捉え直し、サイエンスをいかにイノベーショ
ンへとつなげていくか、そのマネジメント論が重要になっているのである。

　本書は、大きく2編に分かれている。

　第Ⅰ編は、産業編と題し、第1部では、サイエンス・ベースド・イノベー
ションが活用される産業について概説した。従来からのサイエンス活用産業
に加え、IT技術の発達などによって既存産業がサイエンス化したり、多様
なディープテックによってサイエンスが新たな産業を生み出したりしている
状況を述べた。また、そのなかで重要な役割を果たすベンチャー企業につい
て、詳しく解説した。

　第2部では、サイエンス活用産業における日本の競争力と、それを下支え
する各国のイノベーションシステムやイノベーション政策について述べた。
また、サイエンス・ベースド・イノベーションの源泉となる基礎研究力につ
いて、国際的に見た日本の現状を、データで説明した。

後半の第Ⅱ編は、理論編と題し、サイエンスとイノベーションの関係性や技術進化論、産学連携論や企業の技術戦略について、これまでの経営学で研究されてきた理論に、筆者自身の研究成果を盛り込みながら、解説した。

　第3部では、イノベーションに活用されるサイエンスの概念、科学知識の公表や獲得経路、サイエンスとイノベーションの関係を表した様々なモデルを紹介し、サイエンス・ベースド・イノベーションを理解・考察するために基本となる理論的枠組みを示した。

　第4部では、サイエンスを生み出す主体である大学に焦点を当て、サイエンス・ベースド・イノベーションに貢献する大学研究者、大学の研究成果の商業化、産と学の連携マネジメントについて述べた。

　第5部では、サイエンスをイノベーションに活用する企業の戦略論に焦点を当てた。スタートアップよりも、大企業を中心とした既存企業がまだまだイノベーションの中心を担う日本においては、既存企業が考慮すべき競争戦略や企業戦略が重要な位置を占める。ここでは、一般的な経営戦略論の中から、サイエンス・ベースド・イノベーションに特に重要ないくつかの企業戦略について、事例を交えながら解説した。最後に、全体のまとめを述べた。

　本書は、読者として、サイエンスをベースとしたイノベーションに関わる実務家、学術研究者、政策担当者の方々を幅広く想定して書いたつもりである。また、サイエンス・ベースド・イノベーションやディープテックに興味をもつ一般の読者の方々にも、読んでいただけるよう、基本的なことから解説を加えた。著者は、長年、製薬企業の研究部門に勤務し、サイエンスに依拠した製品開発の代表格である新規医薬品の研究開発に携わってきた。そのなかで、きわめて成功（上市医薬品の創出）確率が低い創薬という仕事で辛酸を嘗め続け、サイエンスそのものの専門性を追求することはもちろん重要であるが、それだけでは製品開発を効率的に成功に導くことは難しい、ということを、身をもって経験してきた。ここ10年余りは、研究室や研究企画、研究所の長を務め、創薬イノベーションの効果的な実現についてのマネジメントを、企図し実践してきた。その過程で、業務の傍ら、東京工業大学の大

学院で技術経営を学び、大学の先生方のお力を借りながら、サイエンス・ベースド・イノベーションの学術研究を行ってきた。そうした一人の実務家兼経営学研究者が、これまで自分なりに学び、考え続けてきたことを、整理してまとめ上げたのが本書である。まだまだ内容が不十分な点や欠けている視点、考えが及んでいないことや正確性を欠く部分があろうかと思う。そこは私自身の至らなさとして、どうかご容赦いただきたい。本書を通じて、サイエンスをイノベーションに結びつけるにはどうしたらよいか、そのことを考えるヒントを少しでも提供できれば、著者にとって大きな喜びである。

本書の執筆は、著者の約10年間に渡る技術経営研究が背景となっている。その間、多くの先生方にお世話になった。私に、技術経営研究の道を勧めてくださり、一から勉学や研究の手ほどきをしてくださったのは、長田洋先生（東京工業大学名誉教授）である。先生との出会いがなければ、私が経営学研究の面白さに気づき、ここまで学習と研究を継続することはなかっただろうし、本書の誕生はありえなかった。

博士後期課程で、指導教官として研究の面倒を見てくださった辻本将晴先生（東京工業大学 環境・社会理工学院 イノベーション科学系／技術経営専門職学位課程）にも、深く御礼を申し上げたい。学術的な経営学研究の基礎を丁寧にご指導いただき、自身のイノベーション研究を大きく発展させることができたのは、先生のお陰である。

博士論文執筆にあたって、貴重なご指導とご助言を頂戴した、藤村修三先生、仙石慎太郎先生、宮崎久美子先生、橋本正洋先生（以上東京工業大学 環境・社会理工学院 イノベーション科学系／技術経営専門職学位課程）、加納信吾先生（東京大学大学院新領域創成科学研究科メディカル情報生命専攻）にも感謝申し上げる。

創薬マネジメントの研究では、ロバート・ケネラー先生（東京大学先端科学技術研究センター）に、スター・サイエンティスト研究では、牧兼充先生（早稲田大学ビジネススクール）、長根（齋藤）裕美先生（千葉大学大学院社会科学研究院）、隅藏康一先生（政策研究大学院大学）にたいへんお世話になった。御礼申し上げたい。

　創薬事例研究において、大杉義征先生（元・中外製薬）から貴重なインタビューの機会を頂戴した。その他、本書にまつわる勉学や研究にあたって、お世話になったすべての方々に、この場を借りて御礼を申し上げたい。最後に、休日を割いて研究や執筆に取り組む私を常に理解し、応援してくれた私の妻と両親に感謝したい。

　なお、本書の内容は、すべて筆者の個人的な知識と見解に基づくものであり、筆者が勤務する企業や、所属した大学の見解とは一切無関係であることを申し添えたい。

目　次

序　章
サイエンス・ベースド・イノベーションとは何か：
本書の定義

　本編に入る前に、まず本書を読み進めるにあたって、その前提となる基本的な言葉の定義について、確認しておく。

サイエンスとは

　サイエンス・ベースド・イノベーションについて考察するためには、まず、本書でいう「サイエンス」とは何か、という定義から確認する必要があろう。『広辞苑』（第六版）[4]では、サイエンスは、「学問。科学。特に、自然科学」と説明されている。では、「科学」はというと、同様に『広辞苑』（第六版）では、「①観察や実験など経験的手続きによって実証された法則的・体系的知識。②狭義では自然科学と同義。」とある[5]。加えて、イノベーションに活用されるサイエンスとして、本書では、先進技術[6]もサイエンスの範疇に含む。

4）岩波書店（2008）

5）科学には、自然科学以外にも、社会科学や人文科学等もあるが、イノベーションに活用される科学は、物理学、化学、生物学、情報科学などの自然科学と考えて差し支えない。

6）技術は科学が応用されたもの、とする定義が1970年代頃になされていたが（Dorf, 1974; Boorstin, 1978など）、村上（1986）によると、より近代の科学は技術と融合しており、両者に一線を画すのは難しい。本書でサイエンスの範疇で捉える技術は、例えば細胞が分化前の状態に初期化できることを証明したiPS細胞技術や、神経細胞をモデル化したニューラルネットワークにその認識能を高める新たなアルゴリズムを組み込んだディープラーニングの技術など、先端的な科学研究からもたらされた技術を指すため、先進技術、という呼び方をしている。

先進技術は、知識として定義づけられる科学とは厳密には異なるものだが、実験や理論計算等を通じて新たに獲得されるものであり、かつ汎用的に利用できるという性質を考えると、法則的・体系的に利用できる科学知識と同様に、その原理に基づいた製品やサービス等の開発が可能である。また、大学等の研究機関で生み出され、その理解と活用には、最先端の科学的な知識が必要とされる面からも、サイエンス・ベースド・イノベーションの源泉として科学知識と先進技術をあえて区別する必要はなかろう。

イノベーションとは

　イノベーションとは、「経済価値を生む改革行為」を指す。すなわち、製品やサービスとして対価を生む、あるいはプロセスを改善して間接的に利益を上げるなど、なんらかの経済的な価値をもたらして、初めてイノベーションと呼ぶことができる。イノベーションは技術革新、と訳されることもあり、先進的な技術が登場したときに、それをイノベーションという人がいるが、技術があっても、それが経済価値をつくり出す製品やサービスなどに応用されていなければ、それはイノベーションではない。例えば、ゲノム上のある特定の遺伝子配列だけを変えることができるゲノム編集技術は、技術が開発されただけではイノベーションとは呼ばない。遺伝子改変食物の作出に利用されるなど、市場価値を有するなんらかの製品やサービス、プロセスに活用されて、初めてイノベーションと呼べるのである。

　サイエンス・ベースド・イノベーションにおいて、イノベーションの源泉となる科学知識や技術は、それ自体が経済価値を生み出すものではないし、そもそも学術研究から得られた科学技術成果は、多くの場合、経済価値を一義的な目的にして成されたものではない。

　したがって、本書では、サイエンス、科学、科学知識、技術、などの言葉と、イノベーション、という言葉は、意味を区別して用いている。例えば、破壊的技術、と書いている場合と、破壊的イノベーション、と書いている場合では、意味合いが違う。技術、と書いているときは、まだ経済価値を生み

出す形まで応用されていないものを指しており、イノベーション、と書いているときは、製品やサービスなどの形に転換されているものを指している。

ディープテック（Deep Tech）の概念

2018年頃から、ディープテックという言葉を耳にすることが多くなった。ディープテックという単語を最初に使い出したのは、米投資ファンドのプロペルエックスのCEOを務めるチャトゥルヴェーディーと言われる。彼女は、科学的発見や意義のある技術イノベーションに基づいたビジネスを行う新興企業を、ディープテクノロジーカンパニーと呼んだ[7]。このディープテクノロジーの略が、ディープテックである。ディープテックに当たる科学技術領域として、ライフサイエンス、エネルギー、クリーンテクノロジー、コンピュータサイエンス、材料化学が挙げられており、その活用先として、医薬品や医療機器、農業、環境、自動運転といった分野が挙げられている。

ハロートゥモローは、ディープテックの活用のためのグローバルな連携を支援するフランスのNPO団体である。ハロートゥモローとボストン・コンサルティング・グループ（BCG）が2019年に発表したレポート[8]では、ディープテックは、現行技術を大きく進化させた革新的技術であり、研究室における研究から実用化までに多くの研究開発が必要となるもの、と定義されている。

また、ディープテックは、環境や社会問題に挑戦し、緊急のグローバル課題の解決をめざすものが多い、新市場を形成したり既存市場を破壊したりする力をもつ、複製困難または入念に保護された知財に裏打ちされており参入障壁が高い、ともされている。ディープテックに当たる科学技術としては、

7）https://www.linkedin.com/pulse/so-what-exactly-deep-technology-swati-chaturvedi

8）The Dawn of the Deep Tech Ecosystem, BCG HP
　https://www.bcg.com/publications/2019/dawn-deep-tech-ecosystem.aspx

先端材料、AI、バイオテクノロジー、ブロックチェーン、ドローンやロボティクス、光通信・電子工学、量子コンピュータが取り上げられている。

これらの定義からは、深い（ディープな）専門性を必要とする先進の科学技術を、ディープテックと呼んでいる印象を受ける。一方、丸・尾原[9]は、ハロートゥモローとBCGの定義を一部変更し、地球規模の環境や社会問題などの根深い（ディープな）課題を、技術で解決するのがディープテックである、としている。そのため、最新の技術が使われる場合だけでなく、長年研究されてきたが産業応用されていないような眠れる技術を活用する場合を概念に含めている。

ディープテックは、新しい用語であるため、このように定義にばらつきは見られるが、大学や研究機関でインキュベートされてきた科学知識や技術をイノベーションに活用する、という意味では統一されており、これはサイエンス・ベースド・イノベーションの概念ときわめて近いものといえる。なお、本書では、チャトゥルヴェーディーやハロートゥモローとBCGの定義を援用し、ディープテックの定義は、先進科学技術のみに絞っている。そうすることによって、サイエンス・ベースド・イノベーションとディープテックの議論を、同一の土俵で扱えるようにした。

ディープテックの概念でやや重きを置かれているのは、イノベーションの活用先として、環境など社会問題の解決に触れている点である。従来のサイエンス・ベースド・イノベーションの研究対象は、医薬品・バイオやITが多く、そのなかで社会課題の解決が強調されることは少なかった。2018年に米国で成立したディープテックカンパニー間のディールの71％がライフサイエンス分野であり[10]、ディープテックにおいても、医薬やバイオといったライフサイエンスがイノベーションの主戦場であることに変わりはない。その

9）丸・尾原（2019）世界の未来を切り拓く「眠れる技術」ディープテック，日経BP社
10）How Deep Tech Can Help Shape the New Reality, BCG HP
　　https://www.bcg.com/en-us/publications/2020/how-deep-tech-can-shape-post-covid-reality.aspx

一方で、ディープテックの文脈では、環境・エネルギーなどのグローバルな社会課題への志向性が高く打ち出されているのが特徴である。しかしながら、革新的な治療薬の開発や、半導体によるコンピュータや通信機器の開発、インターネットの発明によるe-コマースや近年のAIによる様々なサービス開発も、社会に大きなインパクトを与え、人々の生活様式に変化をもたらした点では、社会課題に対するソリューションとなってきたことに違いはない。

近年は、グローバル化や持続可能な開発目標（SDGs）の導入もあり、地球規模での環境問題や社会問題が取りざたされることが多い。これらの解決にも、ディープテックが様々に活用されることにより、むしろサイエンス・ベースド・イノベーションがカバーするビジネスや産業領域が拡大している、と捉えるべきだろう。

I　産業編

第 1 部

サイエンス・ベースド・イノベーションと産業

第1章
サイエンスを活用した産業とその広がり

　大学等の研究機関で生み出される科学知識や先端技術は、様々なイノベーションに応用されてきた。こうした"サイエンス"を活用した製品やサービス開発は、サイエンス・ベースド・イノベーションと呼ばれる。サイエンス・ベースド・イノベーションを成長の機軸とする産業、いわゆるサイエンス・ベースド・インダストリーの代表格は、20世紀より医薬品とITであった。より近年、科学技術の進歩により、産業に活用されうるサイエンスの幅は広がり、これまでサイエンスとの接点が小さかった産業に、サイエンス・ベースド・イノベーションが持ち込まれている。

　また、サイエンス分野を超えた学際的な融合が始まっており、異なる科学技術分野に立脚していたサイエンス・ベースド・インダストリー同士が合体しつつある現象も起きている。加えて、2015年以降活発化しているディープテックの潮流は、サイエンスが活用される産業を増加させるだけでなく、サイエンスを活用した新たなビジネスの創出を促進しており、サイエンス・ベースド・インダストリーの裾野は広がる一方である。

　本章では、古典的なサイエンス・ベースド・インダストリーである医薬品とIT、近年サイエンス化している産業群、そしてディープテックが拓く新たな産業やビジネスについて、それぞれ解説する。

1．古典的なサイエンス・ベースド・インダストリー

　マンスフィールドは、学術研究の成果を製品やプロセスの開発にどれだけ活用したか、という「サイエンス・ベースド」の度合いを、産業ごとに調査

して報告している[11]。1991年と1998年のいずれの報告でも、新たな学術研究の成果を大いに生かして開発された製品の割合が高い産業は、1位が医薬品、2位が情報処理であった。これらは古い研究であるが、医薬品産業やIT産業が、かねてからサイエンス・ベースド・インダストリーの典型であるということは、間違いないであろう。

　マンスフィールドの研究は、企業に調査票を送付したサーベイの結果であったが、他の客観的ないくつかの指標を用いて、サイエンスへの依拠度が高い産業が調べられている。ひとつは研究開発投資比率である。製品やサービスを開発するための研究開発活動は、サイエンス・ベースド・インダストリーでなくても当然実施されるが、先端的な科学知見や先進技術を活用するイノベーションでは、学術研究を製品やサービスに結びつけるための研究開発が積極的に行われる必要があるため、研究開発投資の割合が多くなる傾向がある。

　経済産業省企業活動基本調査の平成29年度実績によると、対売上高研究開発費比率が最も高い産業は、学術・開発研究機関を除くと医薬品製造業であり、その値は17.5％である[12]。続いて、機械器具製造業や電子応用装置製造業が10％前後となっている。グローバルで見ても、欧米の大手製薬企業の研究開発投資比率は、2016年のデータで平均約20％であり、他の産業と比較して最も高い部類に入る[13]。

　特許に引用される非特許引用文献（主に学術論文）をカウントすることで、その特許技術がどの程度サイエンスに依拠するかを測定する手法があり、これをサイエンスリンケージと呼ぶ。つまり、ある製品やサービスの開発に、科学知識をより多く使っていれば、その製品やサービスに関する特許を企業等が出願したときに、そこには多くの科学論文が引用されているはず、とい

---

11) Mansfield E, (1991) Academic Research and Industrial Innovation. Research Policy, 20, pp.1-12, (1998) Academic research and industrial innovation: An update of empirical findings. Research Policy, 26, pp.773-776.

12) 経済産業省企業活動基本調査, 平成30年企業活動基本調査確報—平成29年度実績—

13) EvaluatePharma, WORLD PREVIEW 2017: OUTLOOK TO 2022

う考え方である。

　日本の研究では、1991年から2002年の間に1部上場企業が出願した国内特許を対象とした調査から、サイエンスリンケージが高い産業は医薬品、食品、化学産業だったとされている[14]。食品産業では、バイオ関連の科学知識が活用されることでサイエンスリンケージが高くなっている、と考察されている。同じグループの2003年の研究では、バイオテクノロジー分野の特許のサイエンスリンケージが特許1件あたり11.46報であり、これは無作為抽出の平均値の約19倍ときわめて高かったことが報告されている[15]。

　サイエンス・ベースド・イノベーションでは、先端的な科学や技術を取り扱うため、対象分野に対する高い科学的専門性が求められる。それゆえ、高等教育の最高学位である博士号を取得した研究者をどれだけ雇用しているかは、その企業の研究開発活動の「サイエンス度」を測るひとつの指標となる。

　科学技術指標2019[16]によると、日本における2018年のデータでは、研究者に占める博士号保持者の割合は、「医薬品製造業」が18.3%と最も高い。次いで「化学工業」、「電子部品・デバイス・電子回路製造業」となっている（「学術研究、専門・技術サービス業」を除く）。米国では、2016年のデータで最も高いのが「医薬品工業」、次いで「化学工業」、「コンピュータ、電子製品工業」である。

　以上の調査から、医薬品・バイオ、（医薬品以外の）化学、ITハードウエア（半導体やデバイスなど）といった産業でサイエンスへの依拠度が高いことがわかる。ここでは、従来からサイエンス・ベースド・インダストリーの代表格である、医薬品産業とIT産業について、サイエンスがどのようにイノベーションに活用されてきたのかを詳しく見ていく。

14）玄場・玉田・児玉（2005）科学依拠型産業の分析, RIETI Discussion Paper Series 05-J-009

15）玉田・児玉・玄場（2003）特許化された知識の源泉, RIETI Discussion Paper Series 03-J-017

16）文部科学省　科学技術・学術政策研究所, 科学技術指標2019, 調査資料-283, 2019年8月

医薬品産業

　本項で述べる医薬品産業とは、新規医薬品を創製して開発、製造、販売することで利益を上げている製薬企業群のことである[17]。医薬品産業は、研究開発投資比率、サイエンスリンケージ、Ph.D.数のいずれの指標で見ても、最もサイエンスへの依存度が高い、サイエンス・ベースド・インダストリーの代表格である。

　新規医薬品の研究開発には、多様な科学知識や先進技術が活用されており、医薬品産業は知識集約型産業の典型例である。既存の作用メカニズムとは異なる革新的新薬の場合、医薬品で機能を調節する生体分子や生理メカニズムは、ほとんどの場合、大学等の医科学基礎研究から見いだされる。その多くは、もともと創薬を志向して研究されたのではなく、生体機能や病気の原因等を調べる基礎研究のなかから見いだされたものである。そのなかから、その蛋白や生理メカニズムを薬剤によって調節することで、病気の治療効果を発揮するのでないかと予測されたものが、創薬標的として選択される。そして、選択された生体分子や生理メカニズムを適切に調節しうる医薬候補化合物が探索されていくのである。

　本書で事例を紹介しているアクテムラ（抗IL-6受容体抗体）やオプジーボ（抗PD-1抗体）も、IL-6やPD-1といった生体分子が、アカデミア研究から発見されたことを端緒に、創薬応用が成されたものであり（詳しくは事例紹介部分を参照のこと）、同様にアカデミアで発見された生体分子が創薬の標的として活用された事例は、多数存在している。あるいは、生体で生理機能を有する蛋白やペプチドが、医科学の基礎研究から発見され、その蛋白やペプチドそのもの、あるいはその改変体が医薬品になる例もある。

　創薬標的となる生体分子や生理メカニズムを適切に調節しうる医薬候補化合物の探索と最適化にも、大学等の研究成果が生かされている。医薬品の多

17）医薬品産業でも、ジェネリック医薬品をビジネスの対象としている企業や、新規医薬品の自社研究開発を行わない企業も存在するが、そうした企業はサイエンス・ベースドとは言えないため、本項では議論の対象から外している。

くは、かつては低分子化合物であり、有機合成によって作製されていたが、合成の出発点（リード化合物）となる活性天然物の発見や、新しい有機合成の手法などは、大学の基礎研究に基づくものがある。1990年代後半からは、抗体が医薬品として活用されるようになり、抗体医薬品と呼ばれるが、ある抗原に反応するモノクローナル抗体の取得は、1970年代からのバイオテクノロジーの発達によって可能になった。ヒト蛋白に対しては、非ヒト動物でないと抗体はつくらないわけだが、抗体自身がヒトに投与すると異物となるため、非ヒト動物由来抗体のアミノ酸配列を改変し、ヒトで抗原性を有さないようにする抗体ヒト化技術がアカデミアで開発され、抗体医薬品が実用化されるようになった。

　核酸医薬品には、狙ったmRNA配列に相補的に結合して、標的mRNAがコードする蛋白の発現を抑制するアンチセンスオリゴやsiRNAがある。siRNAは、生体が短いRNAをもち、相補的な配列をもつmRNAに結合してその発現量を調節する機能が、生体に備わっていること（RNA干渉と呼ばれる）がアカデミアの基礎研究から発見され、その原理が創薬に応用されたものである[18]。

　遺伝子治療は、1990年代前半に、ヒトへの応用が図られたが、当時主に用いられたベクター（目的遺伝子を挿入して細胞等に運ぶDNAなどの分子）は、ヒトのゲノム上に挿入され、挿入箇所によっては癌を誘発するなどの重篤な副作用を生じ、創薬応用は下火となっていた。しかし、その後、アカデミアの基礎研究より、ゲノムに挿入されずに恒常的な遺伝子発現を可能とするアデノ随伴ウイルスが発見され、これを用いた遺伝子治療がヒトで実用化されるに至った。このように、モダリティ（薬剤形態）に活用される基盤技術の多くは、アカデミアの研究からもたらされたものである。

　創薬標的やモダリティ技術だけでなく、医薬候補化合物を探索する段階では、様々な生理機能を指標に、化合物の薬理効果を調べるアッセイ法が必要であり、こうしたアッセイに利用できる実験法がアカデミア研究者によって確立されることも少なくない。また、医薬候補化合物を体内や目的臓器に効

18）RNA干渉は、2006年のノーベル生理学医学賞の受賞対象となった。

果的に運ぶドラッグデリバリー技術、標的蛋白への化合物の結合を計算科学で予測するコンピュータドラッグデザインなど、創薬に活用される多様な基盤技術が、アカデミア研究からもたらされている。

また、アカデミア研究者自身が、医薬候補化合物を創製する創薬研究を行い、同定された医薬候補化合物を企業が導入して臨床開発を実施する場合などもある。このように、医薬品産業では、新規医薬品の標的となる生体分子や生理メカニズムを同定する創薬研究の最上流から、医薬候補化合物の探索と最適化、創薬研究の出口となる医薬候補化合物の取得に至るまで、様々な段階で多様なアカデミア由来の科学知識や先進技術が活用されている。

IT産業

一口にIT産業といっても、半導体やデバイス、ソフトウエア、ITサービスなど、その業態は様々である。また、1980年代以降は、10年程度で産業構造が変化してきたこともこの産業の特徴である[19]。

半導体は、固体のなかでの電子の状態について科学的理解が進んだことによって、その原理がつくられた。例えば、半導体の素材として用いられるシリコンは、1つの原子が最外殻に4つの電子をもち、これを介して近くの他の原子と結合して結晶をつくる。この結晶は電子同士が固く結合した絶縁体に近い性質をもつが、ここに不純物を加えることで電気を通す性質に変化させることができる。

例えば、シリコン結晶に、最外殻電子を5つもつリンを混ぜると、結晶構造をつくるのに寄与しない余った1つの電子は、結晶の中を自由に動き回れるようになり、結晶は導体に近い性質をもつようになる。

このように、余分な電子が結晶中を動き回る性質の半導体をn型という。一方、シリコンに、最外殻電子が3つのホウ素を混ぜると、電子が入る穴が

---

19) 本項は、総務省，平成27年版情報通信白書，ICT産業の構造変化
https://www.soumu.go.jp/johotsusintokei/whitepaper/ja/h27/html/nc113000.htmlを参考としている。

一つでき、プラス電荷をもつキャリアとなって導体としての性質を有する。このようなタイプの半導体をp型と呼ぶ。このn型とp型を接合させることで、一方向にしか電子が流れない整流機能をもつ半導体をつくることができたのである。

　こうした基礎的な研究は、AT&Tベル電話研究所（ベル研）の研究者たちによって行われた。さらに、ベル研では、この半導体に信号増幅効果をもたせる研究が行われ、点接触型トランジスタが発明された。その特性を改良して、実用化に耐えうる複合型トランジスタが開発され、これが電子デバイス産業を誕生させる契機となったのである。トランジスタの発明に対しては、1956年にノーベル物理学賞が授与されているが、半導体は、基礎科学研究がイノベーションを生み出した好例といえるだろう。

　トランジスタと、コンデンサや抵抗を一つの半導体素材上につくり込んだものが集積回路（IC）である。これは大量生産にも向いており、以降はICの集積度を高める技術改良が進んだ。これによって、ICの高性能化と小型化が可能となり、1980年代にパーソナル・コンピュータがつくられるようになった。

　ICのうち、コンピュータの情報記憶装置であるメモリー、そのなかでも特にDynamic Random Access Memory（DRAM）は、日本が産業競争力を発揮した分野で、1980年代には「産業のコメ」とも呼ばれるほど、我が国の基幹産業製品の一つとなった。この発展は、半導体の微細加工技術の技術改良によるもので、この過程にも大学等の学術研究機関における研究は役割を果たしたと考えられる。一方で、政府主導で立ち上げられ、国内の大手企業から出向した研究者が直轄研究所において共同で作業するというユニークな形態が取られた「超LSI技術研究組合」が、微細加工技術等の技術改良に大きな役割を果たしたなど[20]、主に企業の応用研究の強みが1980年代の日本の半導体産業での躍進を支えていたともいえる。

　1990年代後半からは、インターネットの商用化が進み、IT産業は通信分野

20）榊原（1981）組織とイノベーション：事例研究・超LSI技術研究組合，一橋論叢，86
　　（2），160-175

と融合して発展していった。インターネットは、情報処理技術を研究していた米国国防総省高等研究計画局（ARPA：Advanced Research Projects Agency、後にDARPA：Defense Advanced Research Projects Agency）が、1969年に4カ所の大学や研究機関の異なるコンピュータを接続して構築したARPANETが起源と言われる。

　当時は様々な通信方式が用いられていたが、DARPAとカリフォルニア大学ロサンゼルス校の研究者によって、TCP/IPと呼ばれるデータをパケット化して送受信する通信方式が開発された。これがインターネットで標準的に利用される通信プロトコルとなり、世界規模でのネット接続が可能となっていった。さらに、1989年には、欧州原子核研究機構（CERN）で、現在一般的に使われているハイパーテキストシステムであるWorldWideWeb（WWW）が開発され、HTTPやURL、HTMLといったWWWを構成する標準的な規格が生まれた。こうした技術革新を経て、1990年には米国でインターネットの商用サービスが解禁となった。先進的な通信技術として公的研究機関で開発されてきたインターネットが、経済価値を生むイノベーションへと結びついたのである。

　インターネットの普及によって、IT産業では、情報通信分野などで多くの新規事業が生まれた。グーグルは、検索サイトを運営し、検索キーワードに関連した広告を表示することで、ユーザが興味をもつ広告を高確率で提示する、という検索連動型広告で広告収入を得る、という新たなビジネスを開発した。アマゾン等に代表されるe-コマース（電子商取引）はこの20年ほどで急成長を遂げ、2017年の我が国の消費者向けe-コマース市場規模は16.5兆円に達している[21]。また、シスコなど、ルーターやサーバーといったネットワーク関連機器の製造業者も台頭した。

　2005年以降は、スマートフォンに代表されるモバイルが普及し、スマートフォン向けアプリ等のサービスや機能を提供する事業者が拡大した。2010年

21）経済産業省調べ
　　https://www.meti.go.jp/press/2018/04/20180425001/20180425001.html

頃からは、ユーザが自前でハードやソフトウエアを持たずに、インターネットを介して必要なサービスを利用する、いわゆるクラウドサービスが進展してきた。これは、企業の社内システム等でサーバーが利用されることが増え、物理サーバーによる情報処理だけでは間に合わなくなってきたことがある。

　クラウドコンピューティングは、物理サーバーに複数の仮想サーバーを立てることができる仮想化技術や、分散処理技術、CPUの高速化といった技術革新によって可能となった。2019年のクラウドインフラ市場で首位のシェアをもつアマゾンは[22]、2017年に約2.4兆円の研究開発費を支出しており、クラウドサービスであるAmazon Web Servicesの研究開発に多くの費用を投じているという[23]。

　最近のトレンドとしては、人工知能（AI）の活用があげられる。AIの概念自体は、1943年にヒトの脳神経を模したニューラルネットワークモデルが提唱されたのが始まりといわれ、その研究の歴史は長い。その後、1950年代と1980年代にAI研究のブームがあったが、現在のようなAIを用いた製品開発が盛んに行われるようになった技術的背景には、2006年にトロント大学のヒントン教授が、ディープラーニングと呼ばれる新たな機械学習手法を開発したことがある。ディープラーニングは、従来から研究されてきたニューラルネットワークを、多階層に結合させることで、学習能力を高めた機械学習アルゴリズムである。画像や音声などのデータを与えると、その特徴量を抽出して認識するが、その精度が人間の能力を超える程度にまで高められたことで、大きな注目を浴びるようになった[24]。

　これに、コンピュータの処理速度が向上したことと、インターネットによって学習データが大量に入手可能になったことで、ディープラーニング手法を用いた人工知能搭載製品の開発が可能となった。音声認識を利用したもの

22）Canalys調べ

23）Recode調べ
　　https://www.vox.com/2018/4/9/17204004/amazon-research-development-rd

24）AlphaGoと呼ばれるAIを搭載した囲碁マシーンが、プロの棋士に勝った例などが有名である。

としては、スマートフォン等に付いている音声認識アシスタント機能や、AIスピーカーなどがあげられる。画像や空間認識を利用した製品としては、顔認証など生体認証システム、お掃除ロボットなどがある。また、自動車の自動運転にも活用が進んでいる。人工知能の長年の基礎的な研究が、実用化に応用できるレベルまで進歩してイノベーションを生む段階に到達したのであり、今後、さらなる性能改良が図られながら、ますます活用される製品やサービスが増えていくであろう。

2. 産業のサイエンス化

　近年の科学技術の発達は、これまで先端科学技術との接点が必ずしも多くなかった産業にも、サイエンス・ベースド・イノベーションを持ち込んでいる。これは、情報通信技術の発達の影響が大きく、製造業やサービス業の多様な業種で、IT技術を活用した新しい製品やサービスの開発が行われている。ここでは、こうした「産業のサイエンス化」とでも呼ぶべき現象を取り上げ、具体的な産業の例をあげながら解説する。また、製品開発に複数の異なる科学技術領域が活用されることで、サイエンス・ベースド・インダストリー同士の融合といった動きも見られ、これについても述べる。

製造業のサイエンス化：自動車の例など

　近年の科学技術の発達、特に情報通信技術の発展により、従来サイエンス・ベースドではなかった産業において、サイエンス・ベースド・イノベーションの重要性が増している。例えば自動車産業は、機械系製造業の代表格で、我が国が長く産業競争力を誇ってきた分野である。2000年代以前は、多数の部品を相互調整しながら綿密に製品設計をしていく摺り合せ能力の強さを武器に、高性能のエンジン車を製造することで、日本の自動車産業は強さを維持してきた。

　工場における在庫を可能な限り減らし、製造プロセスの見える化と改善を続けることで工場の生産性を上げるトヨタ生産方式は、世界の見本とされ、日本の製造業の強みの象徴であった。しかし、2000年代以降、自動車はハイ

ブリッド、電気自動車（EV）と、その動力源自体が変化しつつあるのに加え、ITによる機能の制御が進んできた。EVは、リチウムイオン電池が動力源として使われており、次世代電池として全固体電池の開発が進んでいる。ここには、従来のエンジン車とはまったく異なる基盤技術が必要となり、電気化学や材料化学の新たな科学知識が製品開発に必要となる。また、自動車エンジンの電子制御、センサー機能と連動させた車両の高度電子制御による安全運転システム、自動運転技術など、自動車のIT化が進んでおり、ここには先端的な情報処理、情報通信技術が求められることになる。このように、従来はサイエンスに依存する度合いの少なかった製品開発において、科学技術の発展によって製品に用いられる基盤技術そのものが変わり、製品開発に先進の科学知識が必要になる例が出てきている。

　実際にトヨタの戦略を見てみよう。トヨタは、Connected（コネクティッド）、Autonomous/Automated（自動化）、Shared（シェアリング）、Electric（電動化）といった「CASE」と呼ばれる新しい領域で技術革新が進むなか、クルマの概念は大きく変わろうとしている、と述べている[25]。コネクティッドにおいては、通信モジュールや全球衛星即位システムといった通信技術、自動化では画像解析やセンサーシステム、シェアリングではスマートキー、電動化ではインバータや二次電池など、これまで自動車とは直接の関連が薄かった技術分野から、新技術を取り込んで製品開発に生かす必要性が出てきている[26]。これを受けて、トヨタはコネクティッドカーを用いた新しいモビリティサービス（MaaS）を推進するため、ソフトバンクと合弁で技術新会社を立ち上げ、連携している[27]。コネクティッドカーの実証研究を共同で行ってきたNTTとは、2020年に資本業務提携し、通信を活用した自動運転技術などを共同開発すると発表した[28]。

25）トヨタHP　https://global.toyota/jp/mobility/case/
26）https://response.jp/article/img/2018/12/19/317328/1368895.html?from=tpimg
27）膨張データが結んだトヨタとソフトバンク　日本経済新聞　2018年10月4日
28）トヨタHP　https://global.toyota/jp/newsroom/corporate/32057066.html

自動運転技術では、開発工程の全体にわたって基盤技術を活用するため、深層学習に適したGPU技術で世界の先頭を走るエヌビディアと提携している[29]。車載用電池では、東芝などと協業している[30]。このように、従来の産業の枠では考えられなかったような幅広い領域から先端技術を取り込むため、産業を超えた提携が行われている。

　製造業のIT化は、自動車に限った話ではない。シーメンスは、工作機械の不具合や作業時間の測定など、工場内の動きを一元管理するIoTオペレーションシステム「マインドスフィア（MindSphere）」を2017年に発売した[31]。これは、工作機械などに設置したセンサーを介して機械の状態をモニターする大量の情報を集め、AIで分析して機械の故障予測や生産最適化を可能とするものである。製造業の各種企業に採用され、IoTを用いた工場のスマート化が行われている。ファナックは、自社で開発・販売してきた工作機械等の制御装置や産業用ロボットと連動させられる工場用IoT基盤「フィールド・システム」を開発した[32]。加工メーカーなどがこうしたIoT基盤を導入し、自社の製造プロセスに合わせた最適化を行うなどして、製造現場の生産性向上が図られていくと思われる。

サービス業のサイエンス化

　サービス業もサイエンス化している。かつて、サービス業をサイエンス・ベースド・インダストリーだと考える人はほとんどいなかっただろう。これまで、サイエンスとの親和性は余り認識されてこなかった様々なサービス業にも、サイエンス化の波が押し寄せている。これは、主にICT技術の進化に負うところが大きく、○○業×ITといった新しい融合が、各サービス業界で起こっている。

29）トヨタがNVIDIAと提携、自動運転、脱日本連合へ　日経XTECH　2017.06.09
30）トヨタEV電池連合、東芝など参画　日本経済新聞　2019年6月7日
31）独シーメンス、「工場IoT」で攻勢、中小に照準　日経産業新聞　2017年12月7日
32）工場用IoT基盤、開発競争本格化—故障の予測・生産を最適化　日刊工業新聞　2020年6月7日

　金融業界では、ファイナンス（金融）とテクノロジー（技術）が組み合わさった造語として、フィンテックという言葉が2010年代半ばから盛んに言われるようになった。これは、先進的なICT技術によって、金融サービスに革新的な新商品やサービスを生み出すことを意味している。スマートフォンによる決済や送金サービス、AIを用いた個人の信用力測定、個人資産運用におけるロボアドバイザー、金融資産に対するセキュリティサービスなど、その範囲は多岐に渡っている。こうした商品やサービス開発には、ブロックチェーンやビッグデータ処理、AIなどの先進のICT技術が必要であり、金融産業とIT産業の融合が起こっている。

　小売業でも、IT技術を取り入れたイノベーションが起こっている。もうすっかり定着した感のあるPOSシステムは、商品に付いたバーコードを読み取ることで、販売や流通の情報をコンピュータでリアルタイムに管理するシステムである。これによって、売上集計の効率化が図られ、会計システムと連動させることで経理処理の負担が軽減できる。また、どの地域やどの時間帯でどういった商品が購入されているのかを可視化でき、適切な在庫管理や販売戦略に生かすことができる。

　レジの無人化の動きも、注目されている。アマゾンゴーは、アマゾンが開発したレジ無しスーパーであり、コンビニエンスストアタイプが2018年に、スーパーマーケットタイプが2020年に、シアトルに1号店をオープンして実用化されている。アマゾンゴーの店舗では、専用アプリに登録した客が入店すると、店内での動きをカメラやセンサーでモニターし、棚にも重量センサーが装備されていて、どの商品を購入したかがトラックされる。これらの情報がAIで処理されて決済がされ、客はレジを通過しなくても、アプリを通じて自動的に課金される仕組みだ。これによって、レジでの精算がなくなり、客の回転率が上がるうえに、店側の人件費も削減できる。また、アプリに登録された顧客属性から、あるセグメントの顧客の購買行動や購買特性を分析でき、マーケティングに生かすこともできる。類似のレジ無しスーパーは、日本ではローソンとパナソニックが検証実験を行っており、今後普及が見込まれる。

飲食業では、従業員にセンサーを付けて行動を計測し、適切な導線の設計や、サービス品質の向上などのオペレーション改善を図る例などがある。実際に、フードサービス企業が産業技術総合研究所と共同で導入実験が実施されるなど、これまでサイエンスとは無縁と思われた業態で、アカデミアとの連携が進んでいる例がある[33]。

　医療や福祉サービスにおいても、ITが様々な業務と結びついている。身近な例では、ウエアラブル端末で血圧や心拍数などのバイタルサインを測定し、健康管理に役立てる、などがあろう。オンラインによる遠隔診療や、見守り支援などにもICT技術が活用されている。医療用の画像診断支援には、AIが活用されている。内視鏡の画像を診断するのに、AIが画像解析してポリープの悪性度を判断するサービスや、CT画像の読影をAIがアシストし、医師の判断を支援するサービスなどである。これによって、診断の正確性を高め、医師の負担も軽減することができる。VR（仮想現実）による手術支援も始まっている。熟練した執刀医の手技を、VRを通じて別の場所で他の医師らが共有し、手術のトレーニングや手技の向上に役立てよう、という取り組みである。

　近年のAIの発達は、多くの新製品やサービスの登場を生み出しつつある。AI研究のトップランナーの一人である東京大学松尾教授が技術顧問を務め、AIのアルゴリズム開発やその実装を手掛けるパークシャテクノロジー、東京大学で画像解析技術を研究した島原氏らが立ち上げたAIを用いた画像診断サービスを手掛けるエルピクセル、東京大学発位置情報AIベンチャーであるロケーション・マインドなど、大学の先端のAI技術を活用した大学発ベンチャーが次々と登場している。AI技術の発達が、様々なサービス分野など、サイエンス・ベースド・イノベーションを活用する事業分野の裾野を拡大しているのである。

33）商務情報政策局資料　平成26年2月
　　https://www.meti.go.jp/committee/kenkyukai/shoujo/service_koufukakachi/pdf/002_05_00.pdf

サイエンス・ベースド・インダストリー同士の融合

　サイエンス・ベースド・インダストリーの代表格である医薬品産業において、創薬とITの融合ともいうべき現象が起こっている。これまで、創薬研究は、生物学や化学の基礎知識や技術に主に依存していた。しかし、近年は、ヒトの遺伝情報や、遺伝子・蛋白発現プロファイルをビッグデータとして解析し、新たな創薬標的を見いだす手法や、薬剤処置による遺伝子発現変化と疾患における遺伝子発現プロファイルを比較し、逆相関する組み合わせを探すことでその薬剤の新たな適用疾患を見いだす手法が用いられており、創薬標的や適用の探索に生物ビッグデータが活用されている[34]。スーパーコンピュータによるシミュレーション技術も、創薬に活用されている。これは、多数の化合物構造情報から、創薬標的とする蛋白への結合を計算科学で予測することにより、新薬候補やそのリードとなり得る化合物をシミュレーションで探索する技術で、医薬品候補化合物探索の効率化が期待されている。膨大な計算能力が必要なため、従来のコンピュータでは限界があったが、スパコンの出現で現実味を増している[35]。

　ビッグデータは、実際の医療の現場や、病気の予防にも活用されている。癌患者のゲノム情報から、どのメカニズムの抗癌剤が効きやすいかを予測して処方に役立てるゲノム医療は、我が国では2019年から公的医療保険で遺伝子パネル検査が受けられるようになり、本格的に実用化された[36]。病院に蓄積される患者のカルテ情報や診療報酬請求情報、調剤データなどのリアルワールドデータから、特定の病気になりやすい患者やその因子を予測し、予防や先制医療につなげようといった試みも進みつつある。ウェアラブルデバイスによって、ヒトの健康情報をモニタリングし、健康や病気の予測等に活用しようとの動きも多い。医療・ヘルスケア領域で、ITを活用したサービスが

34）田中、ビッグデータ創薬・AI創薬　https://ngbrc.com/img/file72.pdf

35）奥野、スーパーコンピュータ「京」が拓くコンピュータ創薬の可能性
　　https://www.city.kobe.lg.jp/information/project/iryo/img/05_slide_okuno.pdf

36）がんゲノム医療の課題は 日本経済新聞 2019年9月19日

続々誕生しているのである。

　AIを用いた創薬関連技術の実用化に向けた企業の取り組みも活発化している。産学連携プロジェクト「ライフインテリジェンスコンソーシアム（LINC）」では、約100の大手製薬メーカー、ヘルスケアやIT関連企業、研究組織が参加して、AIを活用した創薬技術の開発を約30プロジェクト実施しており、このなかから、商用化する技術が出てきている[37]。

　AI創薬サービスを手掛けるベンチャーは、海外勢が存在感を示している。AIを用いて標的蛋白に結合する医薬候補化合物を同定する技術をもつ英国のエクサイエンティアや、化合物情報と生物ビッグデータのAIによる解析から、狙った疾患に効く化合物候補を予測する米国のトゥーザーなどがある。大日本住友製薬は、エクサイエンティアと共同で、AIを活用して創製した新薬候補について、すでに臨床試験を開始している[38]。日本のベンチャーでは、ディー・エヌ・エーが、AIを用いて創薬におけるリード化合物の最適化を行う試みを、製薬企業と共同で実施している[39]。AIを用いた社会課題の解決を手掛けるエクサウィザーズは、創薬支援やヘルスケアアプリ、AI搭載医療機器開発等を行っている[40]。

　このように、製薬やヘルスケアと、ITとの産業融合が急速に進んでいる。主にIT技術の発達により、異分野の先端科学技術が融合し、複数のサイエンスを合体させたサイエンス・ベースド・イノベーションが展開されているのが、近年の特徴である。

3．ディープテックによる新産業創出

　ここ数年、大学や研究機関でインキュベートされてきた先進の科学技術が、

37）LINC HP　https://linc-ai.jp/
38）大日本住友製薬HP
　　https://www.ds-pharma.co.jp/ir/news/pdf/ne20200130_2.pdf
39）DeNA HP　https://dena.ai/work4/
40）エクサウィザーズHP　https://exawizards.com/business/medtech

ディープテックという言葉で呼ばれるようになり、そのイノベーションへの
活用が再認識されるようになっている。ディープテックによるイノベーショ
ンは、サイエンス・ベースド・イノベーションとほぼ同義の概念であるが、
適用されうるビジネスや産業の範囲が従来よりも広く、サイエンス・ベース
ド・インダストリーの裾野を拡げる動きとして捉えられる。

　ディープテックという言葉をつくったとされるチャトゥルヴェーディーに
よると、ディープテックとは、明確な科学的発見や技術進化を指し、具体的
な分野として、ライフサイエンス、エネルギー、クリーンテクノロジー、コ
ンピュータサイエンス、材料、化学があげられている。活用の例として、癌
治療のための新たなデバイスや技術、農作物の生産性の向上、気候変動に対
応するクリーンエネルギーがあげられている[41]。

　ディープテックの支援を行うハロートゥモローとBCGが共同で発表して
いる資料[42]によると、彼らがディープテックとして取り上げている技術分野
は、先端材料、AI、バイオテクノロジー、ブロックチェーン、ドローンや
ロボティクス、光通信や電子工学、量子コンピュータである。ディープテッ
クの応用可能性がある産業分野としては、宇宙、農業、自動車等の輸送、産
業財、消費財、サービス、エネルギー、食品、ヘルスケア、製造、金属・鉱
業、電子通信、ソフトウェア、小売、廃棄物や水があげられている。すなわ
ち、数多くの産業で、ディープテックを生かしたビジネスが考えられ、トラ
イされている。このことは、これまでサイエンスが重要だった産業や、近年
サイエンス化している産業だけでなく、あらゆる産業でサイエンスが活用さ
れ、サイエンスに基づいた様々なイノベーションが期待されていることを意
味する。すでに、サイエンス・ベースド・インダストリーという概念自体に
意味がなく、産業全体がサイエンスにその進化を依存する時代になってきて

41）https://www.linkedin.com/pulse/so-what-exactly-deep-technology-swati-
　　chaturvedi
42）The Dawn of the Deep Tech Ecosystem, BCG HP
　　https://www.bcg.com/publications/2019/dawn-deep-tech-ecosystem.aspx

いる、ともいえる。

　現時点では、ディープテックの中心地は、これまでもサイエンスへの高い依拠度が示されてきた医薬・バイオなどのライフサイエンスである。米国で2018年に行われたディープテック企業間の取引の71％は、ライフサイエンスであった[43]。ライフサイエンスで注目されているディープテックの一つに、合成生物学がある。非天然遺伝子や蛋白の導入によって、狙った有機物や蛋白等を大量生産できる細胞や微生物をつくり出す技術で、機械学習と自動化を活用することで、効果的な生産系の設計を可能としている。ギンコ・バイオワークスやザイマージェンがリードしており、それぞれ2009年、2013年に創業した新興企業だが、すでにユニコーン化している。合成生物学市場は拡大しており、2022～3年には240億ドル相当の市場規模が予測されている[44]。

　宇宙ビジネスも、ディープテックで注目されている分野である。宇宙ベンチャーへの民間投資額は、2009年からの10年間で累計257億ドルに達している[45]。NASAが、2011年のスペースシャトル計画終了以降、宇宙開発を積極的に民間委託していることもあり、宇宙事業は右肩上がりに成長している。電気自動車ベンチャー、テスラのCEOであるマスクが立ち上げたスペースエックスは、小型人工衛星を多数打ち上げることによる衛星インターネットサービスや、有人宇宙飛行プロジェクトの推進を実施している。アマゾンの設立者であるベゾスは、ブルー・オリジンを設立し、有人宇宙飛行ビジネスや、月面着陸船開発を進めている。高品質な衛星画像サービスの提供をめざすプラネット・ラブス、小型人工衛星の打ち上げのためのロケット開発を行

43) How Deep Tech Can Help Shape the New Reality, BCG HP
　　https://www.bcg.com/en-us/publications/2020/how-deep-tech-can-shape-post-covid-reality.aspx

44) 微生物で有機物を自在に合成　注目の米バイオ企業　日本経済新聞電子版　2020年3月27日

45) 10年間で累計3兆円の投資。「夜明けが来た」宇宙開発ビジネスの勝者はやっぱりスペースX？ Business Insider, Jan.31, 2020
　　https://www.businessinsider.jp/post-205991

うロケット・ラブなども、期待の宇宙ベンチャーである。

　ロボティクスも注目されている。新たな自動運転配達ロボットを開発する
ニューロは、ロボティクスと機械学習の専門家であり、グーグルの自動運転
プロジェクトにも関わった2人の技術者が設立した企業で、ソフトバンクが
1,000億円の投資をしたことでも話題となった。ジップラインは、ドローン
による医療品配達サービスを展開しており、コロナ禍での医療品のデリバリ
ーにも貢献を示した。

　クリーンエネルギーも注目されている。シラ・ナノテクノロジーズは、シ
リコンを電極に使った新しい大容量のリチウムイオンバッテリーを開発して
いる。太陽光発電や風力発電などのグリーンエネルギーにも、多くのベンチ
ャー企業が参入している。その他、仮想現実や拡張現実、センサーやウエア
ラブル、3Dプリンター、空飛ぶクルマなどが、ディープテックの領域とし
て注目されている。

第 2 章
サイエンス・ベースド・イノベーションとベンチャー企業

大学発の科学技術を製品に結びつけるには、ベンチャー企業が重要な役割を果たしている。特に米国では、先端技術分野において、大学の研究成果の産業化に、かねてからベンチャー企業が大きく貢献している。また、ディープテックは、もともとが投資先のベンチャー企業をカテゴライズするために使われ始めた用語であり、大学発や、大学で研究されてきた技術をもとに起業されるスタートアップを主に取り扱っている。したがって、サイエンス・ベースド・イノベーションを考えるうえでベンチャー企業について考察することは、きわめて大事である。

1. ベンチャー企業とは

ベンチャー企業とは、「リスクを恐れずに新しい領域に挑戦する若い企業」を指す[46]。定まった定義があるわけではないが、設立後10年〜30年以内を基準にしている場合が多い。また、従業員100人未満や300人未満といった基準で言われることもある。中小企業との違いは、成長過程にあり、独自の技術や製品をもって、創造性や革新性を武器に新たな分野で事業を行う点である。このことから、必ずしも先進技術に基づいたビジネスのみをベンチャーと呼ぶわけではないものの、先端技術ベンチャーが多いのもまた事実である。

実際、米国では1982年からSBIRと呼ばれるベンチャー支援制度があるが（第3章で詳しく解説する）、2011年までの調査では、SBIRで支援を受けたベン

---

46) 松田（2014）ベンチャー企業 第4版, 日本経済新聞出版社

チャー企業代表者のうち約75％が博士号取得者であり、大学研究者が設立者だった事例が全体の3分の1を占めるという[47]。

　先端技術に基づいたビジネスが多いことから、ベンチャー企業には、大学の研究成果をベースに、その研究に関わった大学研究者が関与して起業されるものも多い。こうした大学発ベンチャーは、サイエンス・ベースド・イノベーションに大きな役割を果たしている。特に、著名な学術研究成果を収めるスター・サイエンティストは、ベンチャー設立などで産業にも貢献することが多いことが知られている[48]。しかし、現役の大学研究者でなくても、大学院等で高等教育を受けてから産業界で活躍する人材のなかには、大学の研究成果を十分に理解し、目をつけた先端科学技術を生かした新たなビジネスを模索するアントレプレナーが存在する。そうした起業家が、研究成果を創出した、あるいは当該分野に詳しい一線の大学研究者を巻き込んでベンチャーを起業する例も多くある。いずれも、大学の先進の研究成果を生かしてビジネスを始める点では、大きな違いはないであろう。

2．サイエンス・ベースド・イノベーションにおけるベンチャー企業の役割

　では、大学の研究成果を産業に結びつけるのに、どうしてベンチャー企業が重要なのであろうか。第8章で述べるが、大学はその研究成果を商業化するべく、技術移転機関（Technology Licensing Organization, 略称TLO）を介して技術のライセンスをする道がある。実際、大学から直接既存企業に特許がライセンスされて事業に結びつく例も多数ある。しかし、新規性の高い科学的発見や先進技術が、実際にビジネスに結びつくのかは、大学の研究レベルで示されたアウトプットだけでは予測しがたい場合も多いだろう。その

47）山口編（2015）イノベーション政策の科学, 第1章, 東京大学出版会

48）Zucker LG, Darby MR, Armstrong JS, (2002) Commercializing Knowledge: University Science, Knowledge Capture, and Firm Performance in Biotechnology. Management Science, 48 (1), pp.138-153.

48

　ため、既存企業は、萌芽的な段階から大学特許をライセンスすることにはためらいがあり、一方大学側も、その不確実性ゆえ、高額でのライセンスが難しくなる。そうなると、ある程度製品化や事業化につながりそうかのフィージビリティを、ベンチャー企業を興して試して、付加価値を追求するほうが、既存企業にとっても大学にとっても好都合といえる。

　大学発ベンチャーの場合、大学研究者としては、自分の研究成果に思い入れがあり、その価値を社会で実現して貢献したい、との欲求が、設立の一因となっている[49]。また、技術の実用化への欲求に加えて、富や独立への欲求も、大学研究者がベンチャー設立に関わる要因になるという[50]。ベンチャー企業によって商業化をめざす科学技術は、既存企業にはリスクが高いものであり、それゆえ、既存の技術進化の延長線上にはないラディカルなものが対象となることが多い。実際に、新規医薬品の研究開発において、特に米国ではベンチャー企業の貢献が非常に大きい。

　医薬品開発は、臨床開発段階に進んだあとでも、最終的に上市に至るまでの成功率は、プロジェクトベースで10%程度と低く、研究段階からみると、製品化に到達できる確率はさらに低いという、不確実性の高い研究開発である。そのため、研究段階で得られた医薬候補化合物を、初期臨床試験で試し、ヒトで効果と安全性が予備的に確かめる段階を、ベンチャー企業が担う例が多い。1998年からの20年間で、米国食品医薬品局に承認された革新的医薬品の半数は、ベンチャー企業が創出したものであった[51]。米国は、早くからベンチャービジネスがイノベーションを生む原動力となると考えており、前述のSBIR制度を導入したが、その後成長した多くのバイオベンチャーがSBIR制度から生まれており、アムジェン、ギリアド・サイエンシズ、バイオジェ

49) 高橋・中野（2007）ライセンシング戦略―日本企業の知財ビジネス，有斐閣
50) シェーン（2004）大学発ベンチャー：新事業創出と発展のプロセス，（邦訳 2005年 中央経済社）
51) Kneller R, (2010) The importance of new companies for drug discovery: origins of a decade of new drugs.Nature Reviews Drug Discovery, 9 (11), pp.867-82.

ンといった、現在では売上世界トップ20位[52]に入るような大手製薬企業も、SBIRで支援を受けた企業である。

3．ベンチャービジネスを行う人材

　先端技術ベンチャーの場合、高度な科学技術を用いたビジネスとなるため、技術に明るい人材が経営に携わる必要がある。このため、大学発ベンチャーでなくても、高度な専門教育を受けた人材が経営陣には非常に多い。また、取り扱う技術分野の第一人者的なアカデミア研究者を、技術顧問などで受け入れている場合が多い。経営者自身も、大学人でなかったとしても、高等教育を受けた後に、研究開発型の大手企業で経験を積んで独立をする人物もいる。前述のとおり、米国のSBIR被採択企業の経営者の75％が博士号を有し、同じ引用元のデータでは、修士号取得者と合わせると90％近いという。先進の科学技術に明るいことが、先端技術ベンチャーの経営にいかに重要なことかがわかる。
　ベンチャービジネスの経営者像は、「リスクに魅せられ、エネルギーに溢れ、物事を実現する能力を持ち、非難に耐え、既存の組織に挑戦する人間」だという[53]。世の中の技術や製品の延長線上にないものを、リスクを取って実現に邁進し、投資家を説得してその価値を理解させ、確信のないものに失敗を恐れずに挑む人物像でなければ、ベンチャービジネスは務まらないだろうから、単に高学歴であるだけでなく、エネルギーとチャレンジ精神に満ち溢れる人材であることは、必須だろう。ゼネラル・エレクトリックのCEOを長く務め、伝説の経営者と呼ばれるウェルチは、リーダーに必要な要件として、4 E＋1 P（Energy, Energize, Execution, Edge, Passion）をあげている[54]。ベンチャーに限らず、企業経営者には共通して同様の条件が求められるのか

52）PharmaValue調べによる2019年のランキング
53）清成・中村・平尾（1972）ベンチャー・ビジネス―頭脳を売る小さな大企業　日本経済新聞社
54）Welch J, Byrne J,（2001）Jack: Straight from the Gut, Warner Business Books.

もしれないが、ベンチャー経営には特に、エネルギーや信念、情熱、実行力といったものが必要なのかもしれない。

4．ベンチャー・ファイナンス

　ベンチャー企業の設立と成長には、資金が必要であり、株式上場（IPO）までは、株式市場を介さない資金調達が求められる。ベンチャー企業にリスクマネーを提供し、その企業価値の向上を支えるのがベンチャーキャピタル（VC）である。米国では、1946年に最初のVCがつくられて以来、多数のVCが設立されている。米国は、専門性をもつスタッフが少数で運営しているVCが比較的多いが、日本は、金融機関、事業会社、公的機関がそれぞれ母体になっているVCが多い[55]。日本のVCは成長を続けているものの、その投資規模は大幅に異なり、2016年に日本のVC投資総額は、米国の80分の1にすぎない[56]。こうした民間の投資マネーが少ないため、我が国では政府主導のファンドが増えており、代表的なもののひとつが、2009年に設立された産業革新機構である。産業革新機構の投資先はベンチャー企業だけではないが、先端技術ベンチャーへも多く投資している[57]。VCの投資分野としては、日米ともにIT関連が一番多く、次いでバイオであり、サイエンス・ベースド・インダストリーにベンチャーマネーが多く投じられている。VCの投資回収方法は、IPOによってキャピタルゲインを得るか、投資先ベンチャーがM&Aをされるか、のどちらかで、米国ではIPOが2割、M&Aが8割であるという[58]。

　ベンチャーに投資するのは、VCだけではない。特に米国で存在感が大きい

55）松田（2014）ベンチャー企業 第4版, 日本経済新聞出版社
56）仮屋薗、第四次産業革命に向けたリスクマネー供給に関する研究会
　　https://www.meti.go.jp/committee/kenkyukai/sansei/daiyoji_sangyo_risk/pdf/001_07_00.pdf
57）産業革新機構HP　https://www.incj.co.jp/performance/data/index.html
58）https://www.antelope.co.jp/navigation/finance/works05/difference.html

のは、エンジェルと呼ばれる個人投資家である。起業家等で巨額の富を手にした人が投資家となり、有望と見込んだ新興ベンチャーに自己資金で投資し、企業経営の指導をするメンターを務めることも多い。米国では、起業家として成功した人が投資側に回り、次世代のベンチャーを育てるという好循環が回っている。VCやエンジェル以外では、ベンチャーに対する公的助成制度や、支援事業などの公的資金を調達する方法がある。また、銀行からの借り入れも行われている。

5．先端技術ベンチャーの成功例

　ここからは、実際にサイエンス・ベースド・イノベーションで大きな成功を収めたベンチャー企業の例について見ていく。サイエンス・ベースド・インダストリーの代表格は、医薬品とITであるが、ITはGAFA[59]をはじめとして、技術ベンチャーから短期間で急速な発展を遂げた企業が多い。また、バイオベンチャーは、前述のとおり、特に革新性の高い新規医薬品の創出に大きな役割を果たしてきた。

グーグルの例

　グーグルは、1998年に設立された、まだ比較的歴史の浅い企業であるが、グーグルの持ち株会社であるアルファベットの時価総額は、2020年時点で1兆ドルを超えており、これはマイクロソフト、アップル、アマゾンに次いで世界第4位という巨大企業に成長している[60]。グーグルの共同創業者であるペイジは、ミシガン大学で計算機科学を学んだ後、スタンフォード大学の大学院へ進み、検索エンジンに関する研究を始めた。ここで、共同創業者となるブリンとともに、ページランクと呼ばれる、重要性の高いウェブページを

---

59) グーグル（Google）、アップル（Apple）、フェイスブック（Facebook）、アマゾン（Amazon）の4社の頭文字を取ってこう呼ばれる。

60) Forbes, 2020年1月13日

検索する新たなアルゴリズムを開発した。この技術は、スタンフォード大学の特許となり、これをグーグルがライセンスする形で利用されているが、この検索手法を用いた検索連動型広告で広告費を得るのが、グーグルの主なビジネスモデルである。

　グーグルの起業には、米国のベンチャービジネスを支えるネットワークが大きな役割を果たしている。設立に際して、サン・マイクロシステムスの共同創始者であるベクトルシャイムが10万ドルの小切手を発行している[61]。また、起業家として成功していたマイクロソフトのゲイツ、アマゾンのベゾスなどが支援を行い、ペイジらのメンターであったスタンフォード大学の教授が仲介して、エンジェルやベンチャーキャピタルからの投資を獲得したという[62]。

　このように、すでに成功した起業家や、大学研究者、ベンチャーキャピタルなどが、ベンチャー支援のためのエコシステムを形成しており、有望なベンチャーが急速に育つ土壌ができているのが、米国の特徴である。

バイオベンチャーの初期の成功例：アムジェン

　1970年代にバイオテクノロジー技術が開発され、その技術を用いたバイオ医薬品を手掛けるバイオベンチャーが出現し始めた。バイオベンチャーの黎明期に設立され、最も成長を遂げたのが、アムジェンとジェネンテックである。ここでは、アムジェンの歴史について振り返る。

　アムジェンは、1980年に設立された。2019年の売上高は約234億ドルで、製薬企業売上高では世界第12位にランクする大手製薬企業になっている[63]。すでに2005年の時点で、売上が約124億ドルと、日本最大の製薬企業である武田薬品と同程度の規模があり、設立から比較的短期間で急成長した製薬企業である[64]。

61）Google HP　https://about.google/intl/ALL_jp/our-story/

62）松田（2014）ベンチャー企業　第4版, 日本経済新聞出版社

63）PharmaValue調べ

64）尾崎（2007）バイオベンチャー経営論, 第3章, 丸善

創業当時、アムジェンの研究開発パイプラインの構築を主導し、リーダーシップを発揮したのが、初代CEOのラスマン博士である。ラスマンは、医学、バイオを学び、大手製薬企業のアボットで要職を務めていた人物である。ラスマンは、長年の研究経験から、バイオテクノロジーのトップ研究者たちと幅広いネットワークを形成しており、技術とビジネスの双方への理解力と、技術連携ネットワークの構築力に長けたラスマンの存在が、アムジェンの初期の成長に重要だったといわれる[65]。

　初期のアムジェンの成長エンジンとなった製品が、エポジェン（遺伝子組み換えエリスロポエチン）である。エリスロポエチンは、EPOの略称で知られる造血因子で、腎臓から分泌されて赤血球の産生を増加させる役割をもつ生体内物質である。EPOは、熊本大学の宮家博士が中心となって、1970年代にヒト尿から粗精製された。EPOのさらなる純化をめざして、宮家はシカゴ大学ゴールドワッサー博士のもとに留学し、両者はEPOの高純度での精製に成功した。その後、宮家らはジェネティック・インスティテュート（GI）と、ゴールドワッサーらはアムジェンと、EPO遺伝子の同定に取り組み、成功した[66]。これにより、遺伝子組み換えEPOの製造が可能となり、組み換え型EPOは、腎性貧血患者を対象とした臨床治験で、劇的な赤血球増加作用を示して、その後世界最大の売上を誇るバイオ医薬品へと成長している。

　EPO遺伝子の特許は、アムジェンとGI双方から出願され、激しい特許訴訟が繰り広げられたが、最終的にアムジェン側の主張が認められ、アムジェンがEPOの独占的販売権を得るに至った。この事例から、大学の最先端の研究としてなされたEPOの同定が、貧血治療薬として大型製品化する過程に、当時は小規模だったバイオベンチャーが大きな役割を果たしたことがわかる。当初はアカデミア研究としてなされた学術研究の成果から、製品応用

　65）松田・白倉（1995）Amgen Inc. の成長の軌跡〜米国の制度が育てたバイオ医薬事業〜，早稲田大学ビジネススクール

　66）研究経緯は、河北・宮家（2013）エリスロポエチン物語, 臨床血液, 54（10）, pp.69-78を参考にした

の可能性が高いものを、サイエンスとビジネス両方に目利きが働く企業家が選択し、大学研究者との連携のなかから製品化、事業化していく。すなわち、大学の研究成果が事業化にまで繋がる「魔の川」や「死の谷」（第 6 章参照）を、バイオベンチャーが埋めているのである。加えて、本事例からは、研究成果の事業化には、知財の確保がきわめて重要であり、研究開発能力だけでなく、適切な知財マネジメント能力が必要であることがわかる。

　EPO での成功後、アムジェンの 2 番目の基幹製品として業績に大きく貢献したのが、ニューポジェン（遺伝子組み換え顆粒球コロニー刺激因子）である。顆粒球コロニー刺激因子（G-CSF）は、1965 年頃から、オーストラリアの研究グループよりその存在が示されており、1985 年にウェルト博士らにより、ヒト G-CSF が純化された。アムジェンは、ウェルトとともに G-CSF の遺伝子クローニングを行って成功し、遺伝子組み換え G-CSF の製造を可能とした[67]。本遺伝子特許は、1989 年にアムジェンが取得し、事業化に成功している。このように、アカデミア研究で同定された生理活性物質を、遺伝子クローニングして組み換え蛋白として医薬品化し、遺伝子特許を取得して独占販売する、というモデルが、当時のアムジェンのビジネスモデルであった。遺伝子クローニングと組み換え蛋白生産といった、当時は先端であったバイオテクノロジー技術を基幹として、大学研究者と連携しながらその研究成果を取り込み、医薬品化することで成長していったことがわかる。

　1990 年代以降、アムジェンは、他企業からの導入や共同開発も行うことで、製品パイプラインを拡充していった。現在の主力品のひとつに、関節リウマチの治療薬であるエンブレルがあり、これは、バイオベンチャーのイミュネックスが開発した医薬品であるが、アムジェンは同社を買収することで、エンブレルを製品パイプラインに組み込んでいる。また、バイオ医薬品で大きなプレゼンスを発揮し続けている一方で、低分子医薬品も手掛けており、総合製薬メーカーとして発展を遂げている。

67）高橋・近藤・高野（2017）G-CSF 製剤の歴史, Drug Delivery System, 32（2）, pp.134-142.

米国におけるバイオベンチャーの存在感

　バイオベンチャー黎明期の最大の成功例としては、前述のアムジェンや、ジェネンテックの例が有名であるが、それ以外にも、バイオベンチャーが新規医薬品の創出を主導した例は、多数存在する。前述のとおり、米国では、革新的医薬品の約半数がベンチャー由来とされており、現在に至るまで、バイオベンチャーが医薬品産業に及ぼす貢献はきわめて大きい。

　例えば、現在世界で最も売上が大きい医薬品クラスの一つに、関節リウマチ等の治療に使われているtumor necrosis factor（TNF）α阻害剤がある。そのひとつ、レミケードという医薬品は、ジョンソン＆ジョンソンが販売しているが、開発したのはバイオベンチャーのセントコア（レミケードが米国で医薬品承認された後の1999年にジョンソン＆ジョンソンが買収）である。1975年に、モノクローナル抗体作製技術が開発され[68]、セントコアは、遺伝子組み換え技術とともに、本技術を基盤技術として創業された。セントコアは、ニューヨーク大学のビルセック博士と、TNFαに関する共同研究を行っていた。ビルセックは、サイトカイン研究の専門家で、インターフェロン研究でもパイオニアの一人であった。ビルセックは、TNFαに結合するモノクローナル抗体を用いて、TNFα阻害が自己免疫疾患の有望な治療戦略になると判断し、セントコアと抗体医薬をめざした研究を行って、抗TNFαキメラ抗体であるインフリキシマブ（レミケードの薬効成分）を創製した[69]。

　C型肝炎治療薬であるソバルディ（薬効成分はソホスブビル）は、それまでインターフェロンを中心とした治療でも十分な治療効果が得られていなかったC型肝炎に対して、著効を示す画期的新薬として登場した薬剤である。2013年に新薬承認され、日本では2015年度の国内医薬品売上高で第2位となるなど[70]、爆発的な売上を記録した。本薬剤を創製したのは、ファーマセット

68）ある蛋白の特定の抗原部分（エピトープ）に結合する抗体のこと。抗原蛋白を動物に免疫して取得できる抗体は、通常複数のエピトープに対する抗体を含むが、モノクローナル抗体は単一の分子種であり、医薬品に応用しやすい。

69）シュック（2007）新薬誕生（邦訳 2008年, ダイヤモンド社）

70）AnswersNews調べ

というベンチャー企業である。ファーマセットは、1998年にエモリー大学の
シナジ博士らによって設立された。シナジは、有機合成化学者であり、核酸
の基本構造となるヌクレオシドをベースにした抗ウイルス薬を、長期に渡っ
て研究している。その基盤研究を生かして、HIVやB型肝炎ウイルスに対す
る医薬品も創製してきた。ソバルディは、臨床試験で良好な成績を示し、そ
れに注目したギリアド・サイエンシズが、2011年に約110億ドルという高額
でファーマセットを買収している[71]。ギリアド・サイエンシズ自体も、1987
年に創薬ベンチャー企業として創業した会社で、抗ウイルス薬開発を中心に
展開し、2014年には売上高が約250億ドルとなり、世界の医薬品企業売上ラ
ンキングでトップ10に入るほど成長を遂げた[72]。

　このように、米国の医薬品産業では、大学における生物学研究や基盤技術
開発に基づいて、大学研究者とベンチャー企業が連携し、大型薬が生み出さ
れるという構図がしばしばみられる。そのなかで、大型新薬の開発に成功し
たベンチャー企業が、大手製薬企業に買収されたり、ベンチャー企業自身が
大手製薬企業にまで成長を遂げたりしている。

6．ディープテック・スタートアップ

成長するディープテック投資市場

　ディープテックは、もともとが投資先のスタートアップを分類するために
つくられた用語であるため、ディープテックを支えるのは基本的にスタート
アップである。そのなかには、先端科学技術を生み出した大学研究からスピ
ンアウトする大学発ベンチャーもあれば、直接大学発ではないが、アカデミ
ア研究でインキュベートされてきた科学技術を高く活用して研究開発を行う

71) Gilead HP　http://investors.gilead.com/news-releases/news-release-details/
　gilead-sciences-acquire-pharmasset-inc-11-billion
72) 田島（2018）世界1位の「バイオ製薬会社」に飛躍したギリアド・サイエンシズの
　行方，経営センサー，7・8，pp.39-43

ベンチャー企業もある。

　ディープテック・スタートアップへの投資は、2015年から2018年にかけて、年20％以上の伸び率で急速に増加しており、2018年には、グローバルで年間約180億ドルの投資がなされている[73]。投資の中心は、米国と中国であり、世界のディープテック・スタートアップへの投資の約80％が両国で占められている[74]。一方、ドイツやイギリスなどでも投資額は伸びており、ディープテック・スタートアップへの投資の拡大は、世界的な流れといえる。一方、日本では、2012年以降、スタートアップによる資金調達額総額や、１社あたりの調達額は増加で推移しており、スタートアップ投資は活発化しているが、ディープテック領域への資金提供は不足している、とも指摘されている[75]。

　ディープテックに投資しているのは、ベンチャーキャピタルや個人投資家だけではない。近年は、既存企業からの投資額が増えている。企業が、コーポレートベンチャーキャピタル（CVC）をつくり、新興企業に投資するケースが多い。ディープテック・スタートアップへの企業からの投資額は、グローバルで2015年には約22億ドルであったが、2018年には約38億ドルまで増加している[76]。日本では、ソフトバンクが、ソフトバンク・ビジョン・ファンドというCVCから、数多くの新興企業に投資を行っているが、その中には、宇宙ベンチャーや仮想現実、自動運転などのディープテック・スタートアップが含まれる。トヨタは、2017年に、深層学習の技術を武器にして、日本で数少ないユニコーン企業となっているプリファード・ネットワークスに、大型の投資を行ったことで話題となった[77]。

73) The Dawn of the Deep Tech Ecosystem, BCG HP
　　https://www.bcg.com/publications/2019/dawn-deep-tech-ecosystem.aspx
74) 同上
75) 一般社団法人日本ベンチャーキャピタル協会
　　https://www.mof.go.jp/financial_system/tt2material3.pdf
76) The Dawn of the Deep Tech Ecosystem, BCG HP
　　https://www.bcg.com/publications/2019/dawn-deep-tech-ecosystem.aspx
77) トヨタHP　https://global.toyota/jp/detail/10680141/

ディープテックを支えるエコシステム

　ディープテックは、それを手掛けるスタートアップと、投資するベンチャーキャピタルが話題になることが多いが、研究室レベルで研究されている科学技術を、商品や産業に発展させるまでには、多くのプレーヤーの協力が必要である。前述のとおり、ディープテック・スタートアップに投資するのは、ベンチャーキャピタルや個人投資家だけでなく、既存企業もあり、スタートアップの事業計画は、自前のビジネスを行っている既存企業の目から見て、事業の将来性をアピールできるものでないといけない。また、既存企業が提供するものは資金だけではない。既存ビジネスでの事業化ノウハウや販路など、スタートアップが学ぶべきことも多い。製品やサービスの顧客となるユーザとのコミュニケーションも重要である。これは当然どのビジネスでも大事なことであるが、ディープテックでは、新たな社会課題の解決に技術が応用されることで事業化に結びつく場合が多く、まだ明示化されていない市場のポテンシャルを、将来の顧客となりうる人たちのニーズから汲み取ることが重要となる。

　ディープテックの源となる先進科学技術を生み出すアカデミアとの連携も、きわめて重要である。そもそも、ディープテック・スタートアップは、大学で当該技術の研究開発を行っていた研究者がスピンアウトして起こすケースが多い。そうでないケースでも、基盤技術の研究開発を行うアカデミア研究者とのコネクションや協業が、ディープテック・スタートアップの技術面でのベースとなり、そこが正に競争力を生み出す源泉となる。また、先端科学技術ゆえに、それを理解して研究開発を推進する高度研究人材が必要で、その供給元としてもアカデミア研究機関は大事である。

　大学等の基礎研究への支援や、スタートアップのイノベーション促進には、国の施策も大きく影響する。そのため、政府との関係や政策の影響をよく考慮し、必要に応じて支援を活用するとか、事業の方向性を見直すなどの工夫が求められる。このように、ディープテックによるイノベーションの実現には、ディープテック・スタートアップと、それを取り巻く異なる立場にあるステークホルダーたちが、効果的なエコシステムを築いて事業を進めていくことがきわめて重要である。

ユニコーンの実例

　ライフサイエンス領域のディープテックでホットになっている分野の一つに、合成生物学がある。合成生物学は、異種、あるいは自然界に存在しない遺伝子や蛋白を、生体や細胞に人工的に導入して、欲しい有機物や蛋白等を効率よく生産できる微生物や細胞株をつくり出す研究を指す。これによって、狙った化学物質や医薬品原料、消費財などを、低コストで量産することができる。

　ギンコ・バイオワークスは、合成生物学の手法を用いて、顧客企業が求める特定物質の商用生産のために、最適化された微生物や細胞を設計し、その対価を得ることで利益を上げているディープテック企業である。2009年に、MITからのスピンオフベンチャーとして創業した同社は、穀物メジャーのカーギル、医薬・農薬大手のバイエルなど多くの企業と提携し、2019年にその企業価値は40億ドルを超えている[78]。自然界にない遺伝子を導入して生物の性質を高める遺伝子組み換え作物等の技術は、以前からあったが、ギンコ・バイオワークスは、機械学習を用いた独自の解析ソフトウエアを構築し、自動化と組み合わせることで、高速で設計を行える技術を有しているのが強みである。ギンコ・バイオワークスと競合するスタートアップとして、ザイマージェンがある。2013年に設立され、遺伝子組み換えにより、目的とする産物を大量に生産する微生物の設計を、機械学習を用いたAI搭載ロボットで自動化して行っている企業である。顧客には、DARPA（米国国防高等研究計画局）も含まれるといわれ、ソフトバンクが多額の投資を行っていることでも話題になった。2019年には、住友化学が再生可能な資源を用いた高機能材料の開発で提携するなど[79]、その評価は高く、こちらもユニコーン化している。

　新型コロナウイルスのワクチン開発をいち早く実施して有名になったモデルナは、蛋白の配列情報をコードするmRNAを医薬品として使うmRNA医薬

---

78) How Deep Tech Can Help Shape the New Reality, BCG HP
　　https://www.bcg.com/en-us/publications/2020/how-deep-tech-can-shape-post-covid-reality.aspx
79) 住友化学HP　https://www.sumitomo-chem.co.jp/news/detail/20190417.html

を手掛ける。ハーバード大学とMITの教授陣によって2010年に設立された
ベンチャーであるが、2020年5月時点で、すでに21個の医薬品候補を開発段
階に有しており、企業価値は32億ドルとユニコーン化している[80]。COVID-19
の遺伝子配列が発表された2ヶ月後に、mRNAワクチンをヒトに投与する
試験を開始し、そのスピードの速さに世界が驚いた。このように、先端技術
を用いて喫緊の社会課題に素早く取り組むのも、ディープテック・スタート
アップの特徴である。

7．日本のベンチャーの実態

　では、日本におけるベンチャー企業の状況はどうであろうか。日本は、米国に
比してベンチャー企業が育っていない、とよく言われる。日本でも、楽天やサイ
バーエージェント、ディー・エヌ・エーなど、1990年代後半に創業して大型化
しているITベンチャーが存在する。しかし、成功している先端技術ベンチャー
の数や規模は、米国に比べると大きく見劣りする。特に、米国で存在感の大き
いバイオ/創薬ベンチャーについては、日本ではあまり育っていないといってよ
い。本項では、日本のベンチャー支援施策や、ベンチャーの現状について述べる。

ベンチャー1,000社計画

　経済産業省は、2001年に、新市場・雇用創出に向けた重点プラン（いわゆ
る平沼プラン）を発表し、そのなかで、基礎研究力をもつ大学とベンチャー
企業群の近接性が国際競争力に直結するとして、大学発ベンチャー企業を3
年間で1,000社にすることを目標に掲げた[81]。その結果、2004年度には、日
本の大学発ベンチャー数が1,200社余りとなり、目標を達成した。しかし、大

80）How Deep Tech Can Help Shape the New Reality, BCG HP
　　https://www.bcg.com/en-us/publications/2020/how-deep-tech-can-shape-post-
　　covid-reality.aspx
81）経済産業省　大学発ベンチャー1,000社計画
　　https://www.meti.go.jp/policy/innovation_corp/start-ups/senshaplan.pdf

学発ベンチャーの新規設立数は、2005年をピークに減少し、2014年から再び上昇の傾向を見せている[82]。

　本計画は、大学発ベンチャーを対象としているため、データに大学発ではないベンチャーは含まれない。また、産業分野も様々であるが、大学シーズをもとにした起業であるうえ、業種別ではバイオ・ヘルスケア・医療機器とITが多く[83]、先端技術ベンチャーが大多数であることが推測される。大学発以外のベンチャーを含むデータであるが、日本の先端技術ベンチャーで最も数が多いと考えられるバイオベンチャーを見ると、大学発ベンチャー1,000社計画の影響もあって、2000年頃からその数が急速に増え始め、2006年には600社近いバイオベンチャーが存在した[84]。しかし、その後は設立数と廃業数がおおよそ釣り合う形で、総数はほぼ横ばいとなった。2015年の調査では、日本のバイオベンチャーの事業規模は、従業員数が中央値で7人、営業利益の平均値はマイナスであり、大規模かつ事業として成功を収めているバイオベンチャーは近年まできわめて少なかった[85]。

　このように、2000年代前半に政府の掛け声で行われた大学発ベンチャー増加計画は、数は増えたものの、その実態は、きわめて小規模で事業的にも成果の薄いベンチャー企業を多数生み出しただけではないか、との批判もある。実際、その後ベンチャー設立数は低下し、大学発ベンチャーは、一過性ブームであるようにも見えた。しかし、2010年代中頃より、大学発ベンチャーの設立数は再び増加に転じ、2017年度の調査では、大学発ベンチャーが日本に2,093社存在して、過去最高となった[86]。また、同じ2017年の調査では、上場

---

82) 経済産業省　平成30年度産業技術調査（大学発ベンチャー実施等調査）
　　https://www.meti.go.jp/policy/innovation_corp/start-ups/h30venturereport_gaiyou.pdf
83) 同上
84) バイオインダストリー協会　2015年バイオベンチャー統計・動向調査報告書
　　https://www.jba.or.jp/link_file/2015_BioVentureReport_open.pdf
85) 同上
86) 経済産業省　大学発ベンチャーのあり方研究会報告書
　　https://www.meti.go.jp/policy/innovation_corp/start-ups/houkokusho.pdf

した大学発ベンチャーは57社となっており、日本にも大学の研究成果をもとにベンチャーを設立することが着実に浸透している、とも考察されている[87]。一方で、海外、特に米国では、大学発ベンチャーの設立数は日本よりずっと多く、企業価値が10億ドルを超えるユニコーンも多数出現している。今後、日本では、単に数を追い求めるだけではなく、経済的に大きな成功を収めるベンチャーを多く出現させることが、課題となるだろう。

日本のバイオベンチャー

　前述のとおり、バイオ医薬品分野は、特にベンチャー企業の役割が重要で、ベンチャー企業数も多い。日本のバイオベンチャー第1号といわれるのは、1999年に創業したアンジェスエムジーである。アンジェスエムジーは、大学の研究成果を発展させて、遺伝子治療や核酸医薬を事業化する目的で、大阪大学の森下博士が中心となって設立された。基幹プロジェクトの一つが、肝細胞増殖因子（HGF）の遺伝子を投与して血管形成を促し、末梢動脈疾患等を治療するHGF遺伝子治療薬である。本プロジェクトは、複数の国内大手製薬企業の支援を受けながら、臨床開発が進められたが、2008年に一度新薬承認申請を行うも認められず、追加の臨床開発を実施して、2019年に条件付き新薬承認を取得した[88]。しかし、2019年9月に発売後、12月までの売上高は400万円にとどまっている[89]。

　より経済的成功を収めるバイオベンチャーも出現してきている。東京大学菅教授が開発した高効率なペプチド合成技術と、独自のペプチド環状化技術を用いた創薬技術サービスを提供するペプチドリームは、多くの国内外製薬大手と提携し、2019年5月24日時点の株式時価総額が約6,600億円に達している[90]。癌ウイルス療法のテロメライシンの臨床開発を行うオンコリスバイオ

87）86）と同じ
88）アンジェス、遺伝子治療薬に承認　足の血管再生　日本経済新聞　2019年3月26日
89）「コラテジェン」売上高、400万円にとどまる　日刊薬業　2020年2月3日
90）高額薬に「挑戦状」ペプチドリームに製薬大手が列　日本経済新聞　2019年5月28日

ファーマは、最大で500億円以上を受領する独占的ライセンス契約を2019年に中外製薬と締結している[91]。そーせいは、多くの医薬品の作用標的となっているG蛋白共役型受容体に対する、独自のリガンド探索手法を基盤技術として有するヘプタレスを買収しており、2016年にこの技術を活用した中枢神経分野の創薬で、アラガンと最大収益が3,600億円となる大型提携契約を結んだ[92]。

　再生医療を手掛けるベンチャー企業も複数ある。セルシードは、東京女子医大の岡野教授が開発した温度感受性ポリマーを用いた細胞シート技術を基幹技術として、食道再生上皮シートおよび軟骨再生シートを用いた再生医療治療などを開発している。サンバイオは、再生医療分野で著名な慶応大岡野教授を創業科学者として、コスト低減が期待できる他家移植の細胞を用いた再生医療法の開発を手掛けている。ジャパン・ティッシュ・エンジニアリングは、細胞を用いて本来の機能をできるだけ保持した組織を人工的につくり出すティッシュエンジニアリングをベースとした再生医療をめざし、培養表皮や培養軟骨を開発して製造販売を行っている。

　このように、我が国でも、新しいモダリティ技術等を活用した創薬を進める有望なバイオベンチャーが増えつつあり、自社研究開発パイプラインを有するプロダクト型創薬ベンチャーの数は、2018年時点で上場企業が30社程度にまで達している[93]。今後、日本のバイオ/創薬ベンチャーが、米国のように医薬品産業で存在感を発揮できるか、正念場に来ているといえる。

日本のディープテック・スタートアップ
　日本でも、ユニコーン化するディープテック・スタートアップが出現し始

91）オンコリスバイオファーマHP
　https://ssl4.eir-parts.net/doc/4588/tdnet/1697714/00.pdf
92）そーせいHP
　https://soseiheptares.com/investors/newsroom/press-releases.html?ctry=jp
93）経済産業省（2018）バイオベンチャーの現状と課題,
　https://www.meti.go.jp/committee/kenkyukai/bio_venture/pdf/001_07_00.pdf

めている。フォースタートアップスの調べでは、2019年に国内ユニコーン企業は6社あり、そのうち4社がディープテック領域だという[94]。時価総額でトップのプリファード・ネットワークスは、Chainerと呼ばれる深層学習のコア技術を開発し、多様な産業分野に深層学習を適用することで、デバイスの進化を図る企業である。交通システム、製造業、バイオヘルスケアなどを事業領域とし、物体認識技術や車両情報解析をトヨタと、産業用ロボットや工作機械の高度化をファナックと、石油精製プラントの最適化や自動化をJXTGと行うなど、協業を通じて新たな開発を行っている[95]。

　クリーンプラネットは、「量子水素エネルギー」と呼ばれる、水素を燃料としながら、ガソリンの1,000倍以上という莫大なエネルギー密度をもたらす次世代のクリーンエネルギー技術の実用化をめざす企業である。東北大学との産学連携で、技術開発を行っている[96]。ティービーエムは、LIMEXと呼ばれる、炭酸カルシウムなどを多く含む新素材を開発し、紙やプラスチックの代替製品として展開している。環境問題の解決に役立つ素材として、大きな注目を浴びている[97]。トリプルワンは、最先端プロセス技術を用いた半導体設計開発を行っている企業である。このように、ITやエネルギー、素材といった多様な分野で、存在感を示すディープテック・スタートアップが出現している。

　様々な社会課題に応えることで、サイエンス・ベースド・インダストリーの裾野を拡げているのが、ディープテック・スタートアップの特徴であるが、日本でも、医療・介護や栄養問題などにディープテックで取り組むユニークなベンチャー企業がある。例えば、筑波大学発ベンチャーであるサイバーダインは、ロボットスーツHALを開発しており、これは、ヒトの脳からの随意運動のシグナルを感知して、意図する動作を実現する装着型のロボットス

---

94) https://prtimes.jp/main/html/rd/p/000000025.000032589.html

95) プリファード・ネットワークスHP　https://preferred.jp/ja/

96) クリーンプラネットHP　https://www.cleanplanet.co.jp/

97) TBM HP　https://tb-m.com/limexaction/

ーツである。この器具を装着することで、運動機能障害者の歩行支援や、介護者の業務軽減などを可能にしている[98]。ユーグレナは、ミドリムシを用いたビジネスを展開している。ミドリムシの屋外大量培養に成功し、ミドリムシを原料とした健康食品や化粧品の製造、ミドリムシを用いたバイオ燃料の開発などを行っている。東京大学は、キャンパス内に東大発ベンチャー向けのインキュベーション施設を設けており、ユーグレナを立ち上げた出雲もこの施設を利用したという[99]。大学の先端技術を社会課題の解決に活用する動きは、日本でも活発化しつつある。

98）サイバーダインHP　https://www.cyberdyne.jp/
99）東大の起業ラッシュは本物か、大学発ベンチャー数日本一の実力　日経ビジネス　2020年6月5日

第 2 部

サイエンス・ベースド・イノベーションにおける日本の競争力

第3章
国のイノベーションシステム

1．サイエンス・ベースド・インダストリーにおける我が国の競争力

サイエンス・ベースド・イノベーションに弱い日本

　科学技術指標2019[100]では、主要国の産業のうち、科学技術を活用する度合いが比較的高い産業を、その度合いに応じて「ハイテクノロジー産業（医薬品、電子機器、航空・宇宙）」、「ミディアムハイテクノロジー産業（化学品と化学製品、電気機器、機械器具、自動車、その他輸送、その他）」、「ミディアムテクノロジー産業（ゴム・プラスチック製品、金属、船舶製造、その他）」と分類して、貿易収支を調査している。このデータは、サイエンス・ベースド・インダストリーの国際競争力を見るのに有用な指標である（産業分類を見ると、本書で述べるサイエンス・ベースド・イノベーションは、主にハイテクノロジー産業で行われる製品開発に当たる）。

　まず、図1（次頁）を見ていただきたい。このグラフは、2017年の日本、米国、ドイツ、フランス、英国、中国、韓国のハイテクノロジー産業、ミディアムハイテクノロジー産業、ミディアムテクノロジー産業の貿易収支比率をそれぞれ比較したものである。貿易収支比率とは、輸出額を輸入額で割った数字で、輸出が輸入を下回るいわゆる輸入超過の場合には、1を下回ることになる。図1では縦軸が1のところに横軸を引いており、これを下回る度合いが大きいほど、

100）文部科学省　科学技術・学術政策研究所，科学技術指標2019,
　　　https://www.nistep.go.jp/sti_indicator/2019/RM283_55.html

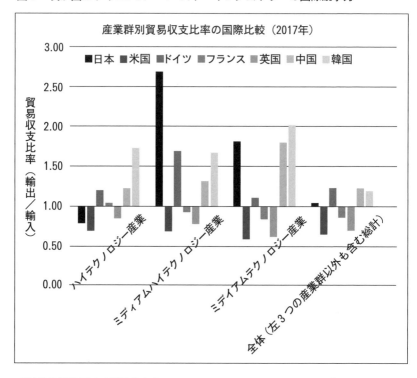

図1　我が国のサイエンス・ベースド・インダストリーの国際競争力

「科学技術指標2019統計集」（http://hdl.handle.net/11035/00006602）のデータより
筆者作成

その産業におけるその国の国際競争力は相対的に低い、ということになる。各
産業群で一番左側にある棒グラフが日本であるが、ハイテクノロジー産業に
おいて、比較７カ国のなかで日本は米国に次いで貿易収支比率が低い（0.78）。
　ミディアムハイテクノロジー産業とミディアムテクノロジー産業では、貿
易収支比率が１を大きく上回り、それぞれ７カ国中１位、２位の高さである
ことを考えると、日本がハイテクノロジー産業でいかに国際競争力を失って
いるかがわかる。全産業でみたときの我が国の貿易収支比率は、2017年はわ
ずかに１を上回ったが、ミディアムハイテクノロジー、ミディアムテクノロ
ジー産業が発揮している国際競争力の高さを、ハイテクノロジー産業が食い

図2　日本の医薬品産業の国際競争力

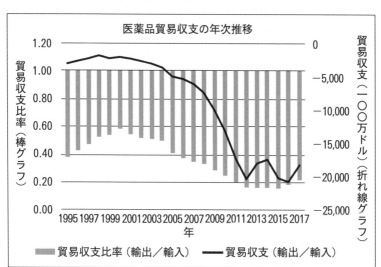

「科学技術指標2019統計集」（http://hdl.handle.net/11035/00006602）のデータより筆者作成

潰す構図になっていることは否めない。すなわち、最も科学技術知識を活用するハイテクノロジー型の製品開発で、日本は国際競争力が低く、それが日本の産業全体の競争力を下振れされる要因にもなっている、ということである。

　では、日本はハイテクノロジー産業のうち、特にどの産業で国際競争力が低いのだろうか。科学技術指標2019の統計データから計算すると、2017年の医薬品、電子機器、航空・宇宙産業それぞれの貿易収支比率は、それぞれ0.21、0.91、0.72であった（筆者調べ）。いずれも1を下回っており、競争力は低いが、そのなかでも医薬品が際立って悪いことがわかる。これまで述べてきたとおり、医薬品は最も典型的なサイエンス・ベースド・イノベーションであり、このことからも、日本がいかにサイエンス・ベースド・イノベーションに弱いかがわかるだろう。

　これは、今に始まった現象ではない。図2に医薬品の貿易収支比率および貿易収支額の、1995年からの年次推移を示した。棒グラフで示した貿易収支

比率は、少なくとも1995年から2017年まで、一貫して１を大きく下回っており、その値は近年までさらに低下傾向にある。実際の貿易収支額（輸出額から輸入額を引いた値、折れ線グラフで示した）も、1995年から2017年まで一貫して輸入超過で、超過額の規模もこの20年あまりで大幅に増加している。ここからわかるように、日本は、最もサイエンス・ベースドと言われる医薬品産業で長年、国際競争力が低く、その程度は年々悪化しているのである。

サイエンス経済への移行

イノベーションにおけるサイエンスの重要性は、年々増加している。やや古いデータだが、米国に出願された特許のサイエンスリンケージを1983年から2007年まで経年的に調べた科学技術政策研究所の結果では、サイエンスリンケージは年を追うごとに増加し、1983年には0.3程度だった数値が、2007年には３近くにまで達している[101]。この調査では、出願人の国籍別にデータが取得されており、欧米の国々ではサイエンスリンケージの増加が大きいのに対し、日本から出願された米国特許のサイエンスリンケージは2007年でも0.6程度と余り伸びておらず、イノベーションへの科学知識の活用が、日本では欧米ほど進んでいない傾向が見られる。このことは、前項で述べた日本のサイエンス・ベースド・インダストリーでの国際競争力の低さとも整合している。

イノベーションにおけるサイエンスの重要性は、サイエンス・ベースド・インダストリーの中でも増加している。典型的なサイエンス・ベースド・インダストリーである医薬品・バイオにおける特許を調べた研究では、1976年から2012年にかけて、米国の生命科学関連特許（大部分がバイオテクノロジーか医薬品関連特許）の科学論文引用数は、2.9年で２倍になるという指数関数的な伸び率を示していると報告されている[102]。この10年ほどでも、癌免疫機

101）科学技術政策研究所調べ
https://www8.cao.go.jp/cstp/tyousakai/seisaku/haihu04/sanko1-2.pdf

102）Ke Q, (2019) An analysis of the evolution of science-technology linkage in biomedicine. Cornell University Digital Libraries
https://arxiv.org/abs/1903.10610.

構の解明による新たな癌治療薬（免疫チェックポイント阻害薬）の登場、iPS
細胞の発明、遺伝子治療や細胞治療の実用化、ゲノム編集技術の開発など、
新たなイノベーションを生み出す先端的なサイエンスや、画期的な先進技術
の開発は、医薬品・バイオ業界で次々と起こってきた。このように、サイエ
ンスを生かした製品・サービス開発において、サイエンスを活用する度合い
はどんどん大きくなっており、サイエンス・ベースド・イノベーションの強
化は産業競争力に重要な課題となっている。

　近年、サイエンス・ベースド・イノベーションの存在感が増している理由
のひとつに、IT革命がある。前述したとおり、1990年代後半からインター
ネットが普及し、様々な製品やサービスの開発がIT技術の進化と融合して
発展した。グーグルやアマゾンに代表されるような、ネット検索サービスや
e-コマースといった新たな巨大ビジネスが誕生し、産業構造は大きく変わ
った。

　前述したとおり、かつてはサイエンスとの親和性は決して高くなかったサ
ービス業でも、ITとの融合が進んでいる。金融業にIT技術が活用されて、
フィンテックと呼ばれる新たな金融サービスが数多く出現している。フィン
テックの範囲は広く、支払いや決済サービス、投資や資産運用、クラウドフ
ァンディング、仮想通貨など、多くの金融分野でIT活用が進んでいる。小
売業ではPOSシステムを使った商品管理や販売戦略が進み、鉄道ではICカ
ードでの乗り降りが一般的になった。このように、これまで先進技術とは縁
が薄かった業種で、ITの活用によるイノベーションが進んでいるのが、近
年の特徴である。2010年代には、2006年以降ディープラーニングの新たな手
法が急速に発展し、AI技術が製品開発に応用されるようになった。AIを搭
載した製品が市場投入されるようになり、画像認識、スマート家電など、幅
広い製品群での活用が進んでいる。異業種とIT/AIとの融合による新たなイ
ノベーションが、IT革命後の産業における一つの大きな動きといってよい
だろう。

　こうした現状を受けて、東京大学元橋教授は、産業構造が、工業経済と呼
ぶべきモデルから、サイエンス経済と呼ぶべきモデルに転換していると述べ

ている[103]。工業経済モデルでは、汎用技術をベースとした新製品やサービスが経済価値を生み、工業技術や資本設備が産業競争力の源泉となる。一方、サイエンス経済では、科学的発見に基づいたサイエンス・ベースド・イノベーションが主軸となり、技術プラットフォームを基盤としたイノベーションが重要となる。日本は、強みをもつ技術や製品を自前主義で開発・改良する工業経済型のビジネスモデルから脱却できておらず、サイエンス経済に順応したやり方に変わっていかないと産業競争力を失う、と論じている。かつて日本企業が優位性をもった工業技術はコモディティ化し、それに基づいた改良製品の開発は、もはや競争力を生みにくい。新たな科学的知見や先進技術をいち早く取り込み、それを製品やサービスの開発へと繋げていくサイエンス・ベースド・イノベーションの重要性が増しており、そこに強みをもつ国へと、日本は変わっていく必要がある。

2．ナショナル・イノベーション・システム

では、なぜ日本のサイエンス・ベースド・インダストリーの国際競争力は低いのだろうか。逆に言えば、米国はサイエンス・ベースド・イノベーションに強いが、先進国のなかでも、どうして国によって強い産業が異なるのだろうか。これには、様々な理由が考えられるが、その一つは、国によってイノベーションを支える仕組みが異なるからである。

ある国で起こるイノベーションは、その国の企業や産業の中での研究開発の動きだけで決まるわけではない。特にサイエンス・ベースド・イノベーションでは、イノベーションの源泉となる科学知識や先進技術を生み出す大学等公的研究機関の役割は、たいへん重要である。また、政府の政策や制度、雇用や商習慣などの社会的慣行も影響する。さらに大事なことは、これらの要素は独立しているものではなく、相互作用していることである。国の政策や制度が、大学の研究動向に影響を与えたり、人材流動性が大学と企業の関

103）元橋（2014）日はまた高く　産業競争力の再生，日本経済新聞出版社

係性に影響したり、制度や社会慣行がベンチャー起業の活発度合いに影響したりなど、様々な相互作用が考えられる。すなわち、企業、大学、政府といったプレーヤーが、相互に関係し、影響し合うなかから、その国のイノベーションシステムが形づくられ、各国のイノベーションの特色を決めている。

　このように、ある国においてイノベーションが生み出される仕組みを、企業、大学、政府の各プレーヤーの相互作用として全体的に捉えよう、という概念が、ナショナル・イノベーション・システム（NIS）である。NISの考え方は、フリーマン、ネルソンらが1980年代後半に提唱した。

　フリーマンは、NISを「新しい技術の開発、導入、普及に関連する私的・公的セクターのネットワーク」と定義している[104]。グローバル化が進み、世界レベルでの情報化社会を迎えている現在では、イノベーション・システムを国ごとに論ずることにやや違和感を覚えるかもしれない。しかし、政策や制度は国によって異なり、企業や大学の活動の裏にはそれまでの商習慣や社会的背景があり、それはその国の歴史や国民性に色濃く影響されていることを考えると、国のイノベーション・システムに着目した理解と考察は、イノベーションを考える上で依然重要である。ここでは、日本と、サイエンス・ベースド・イノベーションに強い米国、近年サイエンス・ベースド・イノベーションでも大きな存在感を示しつつある中国を取り上げ、そのNISについて概説する。

日　本

　日本のイノベーション・システムの特徴の一つは、企業（特に大企業）がイノベーションに果たしてきた役割が大きい点である。この傾向は現在までも続いており、2017年のデータでは、日本の研究開発費支出総額約17兆5千億円のうち、13兆7千億円（約78％）を企業が負担していて、これは米国や欧州諸国より大幅に高い割合である[105]。明治から戦前までの日本では、産と

---

104) Freeman C, (1987) Technology and Economic Performance: Lessons from Japan, Pinter, London.

105) 文部科学省　科学技術・学術政策研究所, 科学技術指標2019, 統計資料集

学を兼任するトップ研究者たちの存在や、大学発スタートアップの産業への貢献が活発に見られ、むしろ産学連携先進国とも呼べる状況であった。しかし、戦後になって大学は産業活動からむしろ遠ざけられ、企業の中央研究所によるイノベーションが主流になっていった。

　日本企業は、欧米の技術のキャッチアップをめざし、改良型製品を中心にその国際競争力を増していく。1980年代には、家電、自動車、半導体などで強い産業競争力を示し、ジャパン・アズ・ナンバーワンと呼ばれるほどだった。また、それが日米半導体摩擦などの貿易問題を引き起こしたこともよく知られている。当時は、日本の企業は、米国の基礎研究成果を活用して、それを製品化に応用するところばかりやって産業競争力を付けている、との「基礎研究ただ乗り」批判があった。そのため、バブル期で資金的なゆとりのある企業が多かったこともあり、日本企業の中央研究所は、基礎研究に力を入れるようになる。すなわち、基礎から製品化までの研究開発を、企業が自前で抱える体制が推進された[106]。この状況が、1990年代前半のバブル崩壊まで続くことになる。この頃まで、大学はむしろ企業の研究所に人材を送り込む人材輩出の場として、企業に認識されており、イノベーションへの直接の貢献としての存在感は、相対的に薄かった（第9章参照）。

　1990年代までの日本の強さを支えていた大企業は、終身雇用を前提とし、メインバンク制を敷き、系列企業と垂直統合で協業しながらイノベーションを生み出してきた。しかし、バブル崩壊後、業績が悪化した日本企業は、基礎研究への投資を削らざるを得なくなり、産学連携を含めた外部を活用したオープン・モデルに舵を切ることになった。実際、日本企業の外部支出研究開発費は、1999年度に総額1.2兆円程だったが、2016年度には2.4兆円程度と倍増している[107]。しかし、支出先の約7割は他企業であり、系列会社に支出している場合などが多く含まれると考えられ、本来の意味での研究開発の外部化がどこまで進んでいるかは疑問である。実際、2016年において、負担部

106）西村（2003）産学連携，第7章，日経BP社
107）文部科学省　科学技術・学術政策研究所，科学技術指標2018

門から使用部門への研究開発費の流れをみると、企業から大学への流れは小さく、大学の使用額全体の2.8％にすぎないという[108]。

　日本企業のオープン・イノベーション活動は、欧米企業に比してまだ不活発であり、2015年の調査では、オープン・イノベーション活動を実施したことのある企業の割合が、欧米では78％だったのに対し、日本は47％であった[109]。また、同じ調査では、オープン・イノベーションへの投資額割合が、イノベーション関連予算の1〜10％未満という企業が日米欧とも多いものの、日本企業では1％未満との回答が多く、欧米企業では20〜40％未満という高い割合の回答が多かったという。このように、日本企業は、この20年で自社研究開発からオープン・イノベーションを活用したスタイルへの転換を図っているが、外部活用の度合いは欧米企業に比べるとまだ低く、大企業の垂直統合型モデルからのイノベーション・システムの変化は大きくは起こっていない、というのが実情と考えられる。

米　国

　米国では、連邦政府が、大学など公的研究機関に巨大な研究費を支出している。2017年のデータでは、米国で政府負担の研究開発費が1,237億ドル（レート100円で換算した場合12兆円強）であり、日本の2兆6,268億円と比較して圧倒的に多い[110]。これは欧州諸国と比較しても図抜けており、この傾向は過去数十年に渡って変わっていない。

　米国では、1980年代までは、国防の目的で軍事研究に多くの支出がなされた。また、医薬品など医療分野を扱う国立衛生研究所（NIH）に多額の研究費をつけている。米国で、軍事とバイオがお家芸、といわれてきたのは、こうした政府による手厚い研究資金の提供が背景にある。

108）107）と同じ

109）米山・渡部・山内・真鍋・岩田（2017）日米欧企業におけるオープン・イノベーション活動の比較研究, 学習院大学経済論集, 54（1）, pp.35-52

110）文部科学省　科学技術・学術政策研究所, 科学技術指標2019, 統計資料集

その後、冷戦の終結で軍事関連の研究費が減る一方、政府からの巨額な研究費によって研究の土台がつくられたのが情報通信分野であった。これにより、1990年代からは、バイオとITが米国の産業を牽引する存在となった。バイオとIT産業の成長を支えたのは、それに加えて米国が1980年代から実施したプロパテント政策があったといわれる[111]。1980年代に日本の産業の国際競争力が強まり、それに対抗するため、米国では、自国が優れる科学技術を自国の産業利益により結びつけられるよう、知的財産権の強化（プロパテント）に乗り出した。特許侵害裁判の強化や、特許を認める範囲の拡大などである。これによって、米国企業がバイオやIT分野で、強い特許保護を背景に成長できたといわれる。

　米国のイノベーションを支えるもう一つの特徴は、ベンチャー企業が多く、産業の牽引役となってきたことであろう。この土台となったのも、上述の政府からの巨額な研究開発費支出である。国の支出により、ベンチャー起業のシーズとなる大学等の研究成果や人材が多く生み出された。また、1980年代の日本の国際競争力の高まりに対抗して、米国では産学連携の強化に力を入れることになった。その一環で、第8章に述べるバイ・ドール法の制定など、大学知の商業化を進める政策が行われた。

　もともと、米国には、古くから産学連携を活発に行ってきたトップクラスの研究大学があり、第9章で述べるクラスターの発祥に大きく貢献してきた。ITやバイオの集積地であるシリコンバレーにおけるスタンフォード大学やカリフォルニア大学、ボストンにおけるハーバード大学やMITなどである。これらのクラスターでは、大学での成果をもとにベンチャーを起業したり、大学とベンチャー企業との間で活発に研究人材が移動したりして、先端技術の商業化が進んでいった。

　現在のグローバルなIT産業では、いずれも米国の巨大IT企業であるGAFAが独占的な地位を占めており、このうちグーグルとアマゾンは1990年代半ば、フェイスブックは2004年の創業であることを考えると、新興のベンチャー企

111）後藤晃　イノベーションと日本経済　2000年　岩波新書

業が産業に果たす役割が、米国では今でもきわめて大きいことがわかる。こうした米国のベンチャービジネスの活況を支えている背景には、米国社会における人材流動性の高さ、アントレプレナーが尊敬を集める米国人気質、ベンチャーキャピタルやエンジェル等による投資マネーが豊富に存在することなどがある。

中　国

　中国は、短期間で科学技術力を急速に伸ばした、世界でも希有な例といえる。「科学技術指標2019」によると、中国の研究開発費は、2009年に日本を上回り、2017年のデータでは50.8兆円、対前年比9.7％増と、世界首位の米国の55.6兆門に迫る勢いを見せている[112]。同じ調査によると、科学研究力については、2015〜2017年の集計で、論文数が世界2位、引用数トップ1％、10％論文数でも共に世界2位、と、米国に次ぐ研究力を誇っている。イノベーションアウトプットとしての特許数については、パテントファミリー＋単国出願[113]として発明数をみると、2013年〜2015年の平均で、中国は世界トップである。一方、そのほとんどが単国出願であり、国際的に出願される故、より重要と考えられるパテントファミリー数だけをみると、こちらは2012〜2014年の平均であるが、中国は世界5位である[114]。このように、イノベーションの質にまだ課題があると考えられるものの、中国が世界トップクラスの科学技術力を有していることは間違いない。

　こうした近年の急激な成長により、中国のNISには大いに関心がもたれるが、日米と比較すると、中国のNISを対象とした研究はまだ少ない。ここでは、いくつかの先行研究を参考に中国のイノベーション・システムの歴史と

112）文部科学省 科学技術・学術政策研究所, 科学技術指標2019

113）居住国外に出願された特許は、複数国に出願した場合、出願数だと同じ内容の特許を複数回カウントしてしまうため、内容が同じ特許をパテントファミリーとして一つにカウントする。居住国内に出願された単国出願を足すことで、総発明数をカウントできる。

114）文部科学省 科学技術・学術政策研究所, 科学技術指標2019

現状を概説する[115]。

　中国は、社会主義制度を導入しているため、かつてNISは資本主義国とはかなり異なったものだった。企業は生産活動に特化し、研究開発は公的研究機関が行っていた。しかし、1978年に「改革開放」基本方針が打ち出され、これを受けて1985年より、中国の科学技術推進制度が大幅に変革されるに至った。これによって、国公立研究機関は、運営費交付金が減額されたが権限は大きくなり、傘下に企業を設置して産業に貢献するようになった。1995年からは、大学の研究力を向上させるための大学重点化政策が打れ、これによって、2000年頃には世界レベルの大学がわずかだった中国だが、2018年にはTHEランキングのTop500大学に21大学がランクされるようになったという。産業への国の投資も強化され、2008年の科学技術進歩法の改正により、ハイテク産業への投資拡大や、企業の研究開発や技術導入への財政的支援などが謳われた。2010年代後半からは、地域イノベーション・システムの構築にも力を入れ、地方政府が地域のハイテク産業の創出をめざす動きが活発になっている。

　サイエンス・ベースド・イノベーションの観点からは、中国はベンチャー企業の産業への貢献度が高いのが特徴である。中国で最大の検索エンジンを提供するバイドゥは、北京大学や米国で学んだコンピュータ・サイエンティスト李が2000年に起業した会社である。ゲームなどのインターネット関連サービスで世界的な大企業に成長したテンセントは、深圳大学で計算科学を学んだ馬が1998年に創業したものである。

　深圳には、「深圳湾ソフトウェア産業基地」と呼ばれるIT企業の集積地があり、ここにバイドゥやテンセントが拠点を構えている。周辺には、ベンチャーキャピタルや多くのITベンチャーが参入しており、IT産業のエコシステムを形成している[116]。ちなみに、1980年代半ばに創業した中国通信大手の

115）本項は主に、周（2019）中国のナショナル・イノベーション・システムの構築, 情報の科学と技術, 69(8), pp.371-375、近藤（2012）中国のナショナル・イノベーション・システムの変遷と産学官連携, 研究技術計画学会年次学術集会, 27, pp.854-859を参考とした。
116）伊藤（2018）加速する中国のイノベーションと日本の対応 Nippon.com 2018年
　　4月16日　https://www.nippon.com/ja/currents/d00403/?pnum=1

ゼットティーイーやファーウェイも、深圳に本社を置いている。両社とも、研究開発に多額の投資を行っており、世界有数の特許出願数を誇る研究開発型企業である。中国では、大学発ベンチャーの存在感も大きい。北京大学発のIT企業グループである北大方正集団は、1986年に北京大学の研究成果を産業化するために設立され、2019年には6兆円近い総資産を有する巨大な国有持ち株会社に成長している[117]。

3．国のベンチャー支援施策：SBIR制度

米国は、ベンチャー企業のイノベーションへの役割が大きいが、1980年代までは、大企業の中央研究所がイノベーションに大きな貢献をしていた。デュポンによるナイロンの商品化や、AT&Tベル研究所によるトランジスタの発明とそれに基づく半導体産業の勃興などが良い例である。しかし、1970年代から日本の強い産業競争力に押され、イノベーション・モデルの転換を迫られた。その時期に、大学知の商業化施策（第8章参照）とともに開始されたのが、ベンチャー支援策であった。米国は、1982年にSBIR（Small Business Innovation Research）と呼ばれるプログラムを開始した。

米国は、ベンチャーのようなスモール・ビジネスこそがイノベーションの担い手と考え、しかしながら基礎研究成果に基づいた製品化や実用化の試みは、萌芽段階ではきわめてリスクが大きいため、民間に任せるのではなく、公的資金で支援しようと考えて、SBIRを設けた。SBIRの仕組みを使って、米国では、1983年から2012年までの30年間で、実に4万6千社の技術ベンチャーが生み出された[118]。SBIRは、大学の科学技術を市場とリンクさせることを大いに活性化し、事実SBIR被採択企業の3分の2以上はかつて大学人であり、創立者の3分の1は会社設立前に大学研究者だった、という[119]。

---

117) 2020年2月に債務不履行による破たんが報じられた。
118) 山口編（2015）イノベーション政策の科学, 第1章, 東京大学出版会
119) 同上

米国では、革新的医薬品の約半数は創薬ベンチャーから生み出されており[120]、2012年の創薬ベンチャー由来の売上高は医薬品産業全体の17％を占めるが、そのうちSBIR被採択企業による売上が77％以上を占め、過去30年で売上累計3,170億ドルに及んでいるという[121]。2012年までのバイオ分野で拠出されたSBIRグラント累計額は96億ドルであり、SBIRによる投資が、医薬品分野ではいかにベンチャーの成長を促し、産業推進に貢献したかがわかる。

SBIRの大きな特徴の一つは、科学研究に十分な経験をもつ研究に造詣の深い人材がプログラム・ディレクターとなり、SBIRで公募する課題を決めていることである。この課題設定は、ある新領域の技術動向と市場ニーズをよく理解して、適切なものを設定することが、効果的に出口を生ませるために重要である。そのために、当該技術分野の専門性に明るい高度人材をプログラム・ディレクターとして、課題を検討させているのである。

応募案件の選抜は３段階で行われている。まず、アイデアの実現可能性を審査し、採択プログラムには、最大15万ドルの資金で実現可能性を検討させる。その結果、商業化の検討段階に入れると判断されると、最大150万ドルの資金を出して、研究開発を拡大させる。製品化に目処が立つと、ベンチャーキャピタルを紹介したり、政府が製品を調達してくれたりする。この選抜過程には、当然ながら当該技術分野への深い造詣と専門性が必要であり、その目利き力を有する高度専門人材が、選抜に当たることで、高確率で成功するベンチャー企業を生み出すことに成功しているのである。本プログラムは、米国が、大企業中央研究所からベンチャー中心へとイノベーション・モデルを転換するのに、大きなインパクトをもたらしたといえる。

日本では、米国のSBIR制度を真似て、1998年に中小企業技術革新制度（日本版SBIR制度）が設けられた。しかし、日本の制度では、漠然とした枠組み

---

120) Kneller R, (2010) The importance of new companies for drug discovery: origins of a decade of new drugs. Nature Reviews Drug Discovery, 9 (11), pp.867-82.

121) 山口編（2015）イノベーション政策の科学, 第7章, 東京大学出版会

は提示されるものの、米国のようにプログラム・ディレクターが具体的課題を設定することはなく、応募案件に対する目利きが働かない。また、補助金の支給対象者には、これまでの実績が問われるため、新たな技術や市場をめざした革新的な案件が採用されにくく、ほとんどが既存の中小企業への補助金と化してしまっている、という[122]。

　このような背景の違いにより、日本の制度は、米国のような先端の科学知識や技術に基づいたイノベーションへの試みを支援する、といった色合いとはかなり違うものになっている。実際、日本版SBIR制度の被採択者のうち、博士号取得者は7.7％しかおらず、米国の74％とは大きく異なっている。

4．国の産業支援：国家プロジェクト

　国は、企業単体で実施するには規模が大きい事業や、将来性が見込まれるが長期的取り組みが必要な技術基盤の確立などを、国家プロジェクトとして実施することで、産業支援を行うことがある。これにより、企業は、将来性が期待できる萌芽的な技術領域において、投資リスクを分散させて研究開発を行ったり、企業間だけでは牽制しあって進めるのが難しかったりする技術開発を、国が主導することで円滑に実施できたりする。

　プロジェクトの形態としては、各企業からの研究者を一堂に集めて研究を推進する場合もあれば、課題を分担して個々の企業が持ち帰って実施し、その成果を共有する場合もある。また、公的研究開発機関が参画することも少なくない。費用は、国からの補助金と、参加企業からの出資でまかなわれる場合が一般的である。

　我が国では、1960年代から80年代にかけて、大型工業技術研究開発制度、医療福祉機器技術研究開発制度、次世代産業基盤技術研究開発制度として、それぞれ20〜30プロジェクト程度の国家プロジェクトが実施されてきたが、それらが統合されて、1993年から産業科学技術研究開発制度となり、2001年

122）山口編（2015）イノベーション政策の科学，第1章，東京大学出版会

からはイノベーションプログラムとして再編されて実施されてきた[123]。情報通信、材料、バイオテクノロジー、環境・エネルギー関連など、多くの産業分野で、プロジェクトが行われてきた。2014年からは、総合科学技術・イノベーション会議が司令塔となり、社会的に不可欠で、日本の経済・産業競争力に重要な課題をトップダウンで決定して、産学官連携で分野横断的な取り組みを実施する「戦略的イノベーション創造プログラム（SIP）」が開始された[124]。2014〜2018年度の5年間で、第1期として11課題が実施された[125]。2018年度からは、第1期の終了を待たずに、5年計画の第2期が開始されており、13課題が採択されている[126]。対象領域は、空間基盤技術、自動走行、農業、環境エネルギー、防災、物流など多岐に渡るが、技術面では、ビッグデータ処理、AIやIoTなどに焦点を当てた課題が比較的多い印象である[127]。

　過去の日本の国家プロジェクトの成功例として取り上げられることが多いのが、超LSI技術研究組合である。1976年〜79年にかけて実施された本プロジェクトは、日本の半導体製造技術がまだ米国に後れを取っていた1970年代に、従来の集積回路の性能を上回る超大規模集積回路の製造に向けて、半導体微細加工技術の確立をめざしたものであった。この国家プロジェクトを通じた基盤技術の確立は、その後の日本の半導体市場における産業競争力の強化に大いに役立った。米国へのキャッチアップに成功し、半導体世界市場での日本のシェアは、1975年の28％から、1988年に55％まで上昇し、プロジェクト成果が活用された半導体やコンピュータの売上は、1983年からの5年間

123）経済産業省, これまでの国家プロジェクトの変遷, 平成23年6月
　　https://www.meti.go.jp/committee/summary/0001620/031_05_00.pdf
124）内閣府 戦略的イノベーション創造プログラム（SIP）概要
　　https://www8.cao.go.jp/cstp/gaiyo/sip/sipgaiyou.pdf
125）内閣府 戦略的イノベーション創造プログラムHP
　　https://www8.cao.go.jp/cstp/gaiyo/sip/sipkenkyukaihatu11kadai.pdf
126）内閣府 戦略的イノベーション創造プログラム（SIP）概要
　　https://www8.cao.go.jp/cstp/gaiyo/sip/sipgaiyou.pdf
127）内閣府 戦略的イノベーション創造プログラムHP
　　https://www8.cao.go.jp/cstp/gaiyo/sip/kenkyugaiyou02.pdf

で2.2兆円以上になったという[128]。

　一方で、必ずしも成功裏に終わったわけではない国家プロジェクトも存在する。経済産業省の振り返りによると、「マイクロマシン」プロジェクトでは、"個々の企業にとっては一定の成果が上がったものの、プロジェクトリーダーが不在でプロジェクト全体の方向性の検討が不十分であり、期間中に急激に国内外で進展したシリコンベースの微細加工技術を踏まえた対応を取ることができなかった"こと、「超高性能レーザー応用複合生産システム」プロジェクトでは、"研究開発がハードウェアに偏り、ネットワーク化等のソフトウェア技術への対応が遅れた"こと、「次世代ロボット実用化プロジェクト」では、"自立走行型清掃用ロボットでは、実用化開発は終了したものの、対人安全性の評価基準が未確立であったため、市場への本格投入に至らなかった"こと、が不成功の理由として述べられている[129]。

　このように、国が主導したプロジェクトが、必ずしも産学のニーズを満たす結果に終わらず、投じられた多額の公費が効果的に活用されなかった事例は少なくない。これには、プロジェクトのリーダーシップの問題、市場ニーズの不十分な把握、事業化への課題認識の不足など、様々な要因が考えられる。こうした過去の事例に学びながら、効果的に成果を生むための国家プロジェクトのデザインを工夫していくことが肝要であろう。

5．イノベーション政策と産学とのミスマッチ：アカデミア創薬の事例

　国家プロジェクトの例でもあったように、政府の施策が、必ずしも期待通りの効果を生まず、産のメリットに十分つながらない、といった先例は少なくない。ここでは、国の思惑と、産や学のニーズがマッチせず、政策が十分

128）経済産業省, これまでの国家プロジェクトの変遷, 平成23年6月
　　https://www.meti.go.jp/committee/summary/0001620/031_05_00.pdf
129）経済産業省, 新たな国家プロジェクトの在り方について, 平成23年7月
　　https://www.meti.go.jp/committee/summary/0001620/032_04_00.pdf

に機能しなかったと考えられる例として、筆者らが調査したアカデミア創薬の事例を紹介する[130]。

アカデミア創薬とは、新薬候補化合物の創製を、製薬企業が関与せずに、アカデミア研究者が単独で実施する創薬研究である。前述したとおり、我が国の医薬品産業の国際競争力は欧米に比して弱い。特に米国では、新薬候補化合物の創出を主にバイオベンチャーが担っているのに対し、日本はベンチャー1,000社計画等で起業の活性化を図ったにもかかわらず、有力なバイオベンチャーが育っていない。そこで政府は、大学の研究成果を創薬に効率的に結びつけるための日本ならではのやり方を模索した。その結果、内閣官房医療イノベーション室での議論に端を発して、アカデミア研究者が大学等公的研究機関で創薬研究を実施することを推進する方針がとられた。

政府は、創薬支援ネットワークを設立して、アカデミア研究者による創薬研究活動を支援した。また、大学内にacademic research organization（ARO）をつくって機能強化を促進し、大学が研究者の創薬活動を推進する体制を整えた。こうした流れのなかで、2015年には、我が国の創薬や医療機器開発を司令塔として一元的に推進・支援する独立行政法人として、日本医療研究開発機構（AMED）が設立された。AMEDは当初からアカデミア研究者による創薬研究を推進することを謳った。

一方、大学側は、2004年の国立大学法人化の影響もあって、より社会貢献を求められるようになった背景を受け、大学独自で創薬研究を推進し始めた。東京大学は、創薬用の化合物ライブラリーを独自に整備した。理研は、多様な技術基盤を有する組織であるメリットを生かし、施設内の様々な創薬関連技術を有機的に連携させて、理研内で創薬研究が実施できる体制を敷いた。しかし、大学側の創薬への取り組みは、アカデミア創薬に特化していたわけではない。北海道大学は、薬学研究院に創薬を実施するセンターを設け、アカデミア創薬の実施を進めるとともに、製薬企業との産学連携や、大学発ベ

---

130) 本項の内容は、奥山・辻本（2017）アカデミア創薬の背景と現状, 産学連携学, 13
　　（2）, pp.127-134を簡潔に纏め直したものである。

ンチャーの設立促進も並行して進めている。名古屋大の創薬科学研究科の取り組みや、京都大学の製薬企業との融合ラボの設置など、産学協働での創薬の取り組みも推進されてきた。このように、大学側は、研究成果の社会還元を主な理由の一つとして、創薬活動を推進してきたが、その形態はアカデミア創薬に限ったものではなく、産学連携、ベンチャー設立支援など、様々なやり方で創薬推進を模索してきている。

　それに対して、企業側は、産学連携を活発化しているものの、そのニーズは、創薬研究上流にあたる創薬標的や基盤技術導入にフォーカスされており、アカデミアが創製した医薬候補化合物への積極的なニーズは観察されなかった。実際、2009年から14年までに我が国で創製されたアカデミア創薬由来医薬候補化合物44個のうち、7個しか臨床開発をめざした企業導出に成功しておらず、導出されていない化合物のうち、医師主導治験で臨床開発段階に進んだものは1個しかなく、半数以上の21個はすでにプロジェクトが終了していた。すなわち、アカデミア創薬で医薬候補化合物を創出したものの、臨床開発を担う製薬企業のクライテリアに達して、臨床開発まで進んだプロジェクトは一部にすぎず、残りのほとんどが臨床開発前に中止、停滞している実情が明らかとなった。また、企業未導出の医薬候補化合物は、ほとんどが癌領域の低分子化合物であり、製薬企業が注力している分野と強みをもつモダリティであった。このことは、アカデミアが製薬企業と同様の創薬研究を実施しても、企業と同レベルのハイクオリティな医薬候補化合物を創出することは難しいことを意味すると考えられる。

　本事例は、国が、創薬の国際競争力向上を狙って、アカデミア創薬を強力に推進してきたが、産と学の狙いやニーズとはズレており、アカデミア創薬が十分なアウトプットを生んでいないことを示している。アカデミア創薬の実行主体である大学は、産学連携やベンチャー支援など他の方法でも創薬活動を推進しており、利益享受者の立場になるはずの企業は、アカデミア創薬由来の医薬候補化合物に大きな関心を示しておらず、製品化に向けた企業導出は滞っていた。官の方向性と、学や産の取り組みやニーズがミスマッチしているが故に、政策的打ち手が、産業促進に効果的な役割を十分に果たせて

いない、という一例といえよう。産業促進施策においては、産や学のニーズや強み弱みがどこにあり、産学各プレーヤーがそれぞれに果たすべき適切な役割は何なのか、官がよく理解して、政策立案に生かす必要性があるのである。

第4章
日本の研究力

　サイエンス・ベースド・イノベーションは、大学の研究成果がイノベーションのもとになるため、アカデミアから有望な基礎研究成果が活発に出されることが、イノベーション活性化の源泉となる。したがって、日本のサイエンス・ベースド・インダストリーの競争力を考えるには、日本で行われている学術研究の状態を見ていく必要がある。もちろん、アカデミア研究の成果は、学術論文等で公表されるし、海外の研究者とも協業することで暗黙知の獲得もできる。しかし、大学と企業の研究者の密なコミュニケーションは、地域性と言語のハードルを考えると、国内同士で実施されるのが一番効率的である。また、国も、大学や産業に投資した研究開発費は、日本の発展のために活用されて欲しいわけであるから、日本におけるサイエンス・ベースド・イノベーションの発展を望むなら、国内の基礎研究力の強化を考えるのは、当然のことだろう。
　ここでは、日本の基礎研究力を、インプットである研究費や研究人材、アウトプットである論文や特許の量や質で捉えていく。主に国が行っている調査結果に基づいて、考察を進める。

1．インプット：研究費や研究人材

研究費

　日本の科学技術研究費は、過去10年間で増加し続けている。総務省の調査[131]

131）本項で紹介するデータは、別途引用がない場合は、総務省平成30年科学技術研究調査結果　https://www.stat.go.jp/data/kagaku/index.htmlからの引用である。

によると、2018年度の研究費は、19兆5,260億円であり、前年度より2.5％増えて過去最高となっている。また、国内総生産（GDP）に対する研究費の比率は、3.56％で、前年度より0.08％上昇し、過去10年間で多少の増減があるものの、3.5％前後の水準が保たれている。これは、諸外国と比較しても高い割合であり、G7、中国、韓国、ロシアのなかで、研究費の対GDP費が日本を上回るのは韓国のみである。研究者1人当たりの研究費は、2018年度に2,232万円であり、過去10年で増加しており、前年度と比較しても1.6％増加している。これは、G7、中国、韓国、ロシアのなかで、米国、ドイツ、中国に次ぐ高さとなっている[132]。このように、日本では、研究費が、国際的にも比較的高い水準で支出されていることがわかる。

　この研究費総額は、企業と、大学など公的研究機関のぶんがすべて合算された値である。第3章に述べたように、日本は他の先進国と比較して、研究開発費における企業の支出分が多い。実際、基礎研究の主な担い手である大学や公的研究機関の研究費は、2018年度のデータで、研究費全体の27.1％を占めるにすぎない。2009年度には、大学や公的研究機関の研究費は、研究費全体の30.5％を占めていたが、この10年でその割合は低下を続けている。

　大学が支出している研究費の性格についても見る必要がある。引用している総務省の調査（前述）では、研究費をその目的別に「基礎」「応用」「開発」に分類しているが、大学の研究費のうち、基礎研究に利用された割合は、2009年度の54.1％から、2018年度は53.5％となり、前年度と比較しても0.2％減っている。

　研究者1人当たりの研究費についても、留意が必要である。相対的に企業が負担する研究費の割合が増えていることを述べたが、企業は大学と比べて、当然ながら応用や開発研究の支出割合が高い。2018年度に、企業の研究者1人当たりの研究費は2,820万円であり、大学のそれは1,248万円である。企業は、研究費のうち基礎研究費は全体の7.8％であり、大学では基礎研究費が53.5％である。日本は、もともと研究費総額に占める企業の研究費割合が高く、その割合がさらに高まっていることを考えると、研究者が使っている研究費

132）米国は2016年、ドイツと中国は2017年のデータとの比較である。

の内訳としては、応用や開発に使われている研究費が日本では相対的に高く、かつその割合は近年さらに高まっている、と考えられる。

　このように、日本は研究費総額や研究者1人当たりの研究費が、国際的にも高いレベルにあるが、そのなかで基礎研究に割かれる割合は比較的小さく、その傾向は過去10年間でさらに強まりつつある、と推測される。

研究人材

　上述の総務省の調査によると、日本の研究者数は、過去10年でやや増えており、2018年度は87万4,800人で、過去最多となっている。人口100万人当たりの研究者数は、G7、中国、韓国、ロシアのなかで、韓国に次ぐ高さである。サイエンス・ベースド・イノベーションでは、専門性の高い科学技術を生み出す、または活用する人材が必要なため、博士号取得者がその担い手として重要である。科学技術指標2019[133]によると、人口100万人当たりの博士号取得者数は、日本は2016年度に118人であった。これは、英国（360人）やドイツ（356人）の半数以下であり、米国、フランス、韓国と比較しても低い数値である。また、上記国のなかで、2008年度と比較して2016年度の人数が減少しているのは、日本のみである。また、日本では、博士課程の入学者が2003年をピークに減少傾向にある[134]。すなわち、日本は、研究者数は必ずしも少なくないものの、博士号を有する高度専門人材が欧米より少なく、その伸びも芳しくない。

　日本の博士人材の特徴として、企業に在籍する博士号取得者が少ないことがある。上述の科学技術指標2019によると、2017年のデータでは、米国では、博士号取得者のうち40.2%が企業に所属している。大学等が43.6%なので、大学と企業に同程度の割合で博士号取得者が在籍していることになる。一方、日本では、2018年のデータで、博士号取得者のうち企業に在籍するのは13.9%であり、大学等に在籍するのは74.8%である。また、日本では、大学等で働

133）文部科学省　科学技術・学術政策研究所，科学技術指標2019

134）科学技術・学術政策研究所「「博士人材追跡調査」第1次報告書」，NISTEP REPORT No. 165, 2015.

く研究者の59.4％が博士号を有しているのに対して、企業研究者では博士号保持者は4.4％にすぎない。

　サイエンス・ベースド・イノベーションの実現には、イノベーションの主な担い手である企業が、サイエンスに対する深い理解力を有さなくてはならない（第11章　1. 吸収能力　の項を参照）。高度な科学教育を受けた博士人材が、大学側に偏り、企業に少ないことは、大学で生み出された科学知識を企業が効率的にイノベーションに活用していくうえで、問題となる。

　では、なぜ日本では、企業の博士号取得者が少ないのであろうか。日本は、企業間転職が不活発であるため、新卒で社員を採用し、社内で長期的に人材を育成する企業が多い。そうなると、修士や学部卒で採用し、若い頃からオン・ザ・ジョブでトレーニングして、自社のニーズにあった研究で能力と経験を積んでもらったほうがよい、ということになりがちである。また、大学側も、企業に行って有用な人材を、大学院の博士課程で育成しよう、という教育をあまり行ってこなかった[135]。

　近年は、論文博士制度の縮小も一因と思われる。従来、日本では、企業において研究活動を行い、その成果を数報の学術論文として発表した場合、その成果を博士論文にまとめて大学に提出し、博士号を取得することが、比較的広く行われていた。しかし、米国には課程博士の制度しかなく、国際的基準に合うか、といった問題意識から、見直すべきとの指摘があり、近年は論文博士で博士号を取得する人が減っている[136]。一方、大学院の課程博士で博士号を取得するには最低でも5年以上の年月がかかり、大学からストレートに進んだ場合でも、企業に就職するころには30歳近くになる。また、米国では、博士課程の大学院生に給料を出す仕組みがあり、就職後の給与水準も高いが、日本では授業料を納めるだけで経済的な負担が大きい。こうしたこと

135）最近は、大学院博士課程で、産学官にわたりグローバルに活躍できるリーダーを育てるための教育として、文部科学省が「博士課程教育リーディングプログラム」を推進するなど、企業等でも活躍できる博士人材の育成が進められている。

136）科学のことば　論文博士　日本経済新聞　2014年8月8日

が、日本企業に博士人材が増えない要因になっている。

　研究者の人材流動性が低いことも、日本企業に博士研究者が増えない一因になっていると考えられる。科学技術指標2019によると、2018年に企業が新卒で採用した研究者は約2.5万人であり、一方、転入者は1.5万人である。しかし、部門間移動でみると、企業から企業に流れる研究者が大部分であり、これは大学でも同様の傾向である。これらのデータは、必ずしも博士号取得者のみを対象としたものではないが、大学に多い博士号取得者は、他大学に転職することが多く、大学研究者が企業に移動するケースが、日本では少ないと考えられる。

　米国では、大学と企業間で研究者がポジションを行き来することが多く、第2章に述べたように、高度科学専門人材によるベンチャー起業も盛んである。日本でも、大学と企業というセクターを超えた人材流動性を高めないと、企業で活躍する博士人材が増えていかない。ひいては、大学の研究成果としての先端的な科学技術に対して、企業側にそれを深く理解できる高度専門人材が少なく、大学の科学知の企業への移転が活発に起こらない、ということになり、サイエンス・ベースド・イノベーションの実現にマイナスとなってしまう。ましてや、日本では、先端科学技術ベンチャーの起業と、それを支援する枠組みが不足しており、人材の面からも、大学と企業の分断をもっと解消していく必要がある。

　日本では、博士号取得者を増やし、日本の研究レベルの向上をめざすために、「ポストドクター等1万人計画（略称：ポスドク1万人計画）」が、国の政策として実施されたことがある。ポストドクターとは、博士号を取得してから、終身の研究ポジションに就くまでの間、任期付きの非正規雇用として働く研究者のことを指す。バブル崩壊による企業の研究開発費の減少や、大学等の研究環境の悪化を受けて、国は、第1期科学技術基本計画を敷き、日本の科学技術力の向上をめざしたが、そのなかで1996年から2000年にかけて目玉政策の一つとして実施されたのが、ポスドク1万人計画であった[137]。これにより、日本の大学院進学率は、2005年度には11.6%となり、その20年前と比

137）文部科学省科学技術・学術審議会資料
　　　https://www8.cao.go.jp/cstp/project/compe/haihu08/siryo3-1.pdf

較してほぼ倍増した[138]。ポスドク数は、1996年には6,224人だったのに対し、2002年には1万1,127人まで増加した。しかし、ポスドクの数は増えたものの、その受け皿となる大学等の正規職員のポストは増えず、正規職に就けない博士号取得者を大量に生み出す結果となってしまった。2009年の調査では、ポストドクターのうち、正規職等に就かずに、翌年もポストドクターを継続している研究者が、全体の74％であった[139]。2012年の調査では、正規雇用先が得られずに、ポスドクを複数回繰り返す35歳以上のポスドク（いわゆるシニアポスドク）が、ポスドク全体の37.1％に達しており、社会問題化している[140]。これは、高度な教育を受けた人材が、日本社会のなかで適切に活用されていないことを意味しており、こうした状況は、博士人材をめざす若者の意欲を減退させ、ひいては日本の科学技術力の低下を招く可能性がある。実際に、前述のとおり、2003年以降、我が国の博士課程への進学者は減少傾向にある。こうした状況を招いた要因は、大学等の正規職のポストが不足していること、企業や官公庁でもポスドクの採用は非常に少ないこと、など、受入れ口がないことである。ポスドク1万人計画でポスドクを増やしたものの、修了後の進路を十分考慮しなかったために、アカデミアで定職に就ける者は限られ、一方で企業等での活躍の場も限られてしまったのである。近年は、ポストドクターキャリア開発事業や、科学技術人材育成コンソーシアムなどの取り組みで、ポスドクのキャリアパスを支援する動きが広がっているが[141]、高度研究人材の有効活用は、我が国の科学技術力やそれに基づくイノベーション力を高めるために必要不可欠であり、対策が望まれる。

138）経団連大学院博士課程の現状と課題（中間報告）2007年1月9日
　　https://www.keidanren.or.jp/japanese/policy/2007/020/chukan-hokoku.pdf
139）ポストドクター等の雇用・進路に関する調査
　　https://www.nistep.go.jp/wp/wp-content/uploads/mat202j.pdf
140）生物科学学会連合　www.nacos.com/seikaren/pdf/2015/seikaren_postdoc_2.pdf
141）文部科学省　博士人材のキャリアパスの多様化
　　https://www.mext.go.jp/b_menu/shingi/gijyutu/gijyutu10/002/shiryo/
　　__icsFiles/afieldfile/2018/04/03/1402888_7.pdf

2．アウトプット：論文と特許など

　次に、研究とイノベーションのアウトプットとして、それぞれ論文等と特許の状況についてみていく。

論文等

　日本の基礎研究力の指標として、論文数や高レベル論文数の国際シェアを見てみる。科学技術指標2019によると、学術論文数が主要国で最も多いのは、1980年代から一貫して米国である。日本は、1980年代から2000年代初めまで、主要国における論文シェアを伸ばしており、一時は世界 2 位であったが、その後低下し、2016年時点では、米、中、英、独に次ぐ世界 5 位となっている。基礎研究力を測るには、論文の総数だけでなく、いかにインパクトの大きい研究成果を出せているか、も重要な指標となる。論文内容の科学的インパクトは、その論文が他の論文に引用される回数（被引用回数）で測定されることが多いが、論文の被引用回数が上位 1 ％、10％にそれぞれ入る高インパクト論文の主要国中シェアを測定すると、日本は2000年代初頭以降、そのシェアを低下させている傾向があり、2016年時点ではそれぞれ主要国中第12位、第11位となっている[142]。

　主要科学誌に2019年に掲載された論文数などに基づく大学の研究力ランキングでも、日本の基礎研究力の低下が報告されている。英国の科学雑誌Natureが分析したランキングによると、日本は東京大学の11位が最高で、次が京都大学の37位と、トップ10に入った大学がなく、50位以内も 2 校だけであったという[143]。日本の大学の研究力の低下は、他のデータでも示唆されている。ノ

142）科学技術指標2019によると、国内論文と国際共著論文のカウントを足し、国際共著論文を通じた外国の寄与分を補正しない整数カウント法で測定した場合の順位である。補正した分数カウント法では両者とも第 9 位となる。

143）研究力ランキング、日本勢初のトップ10陥落…中国勢が躍進　読売新聞　2020年 5 月11日

ーベル賞やフィールズ賞を受賞した卒業生や教員（研究者）の数、被引用論文の多い研究者の数、Nature誌とScience誌に発表された論文数などを指標とした、上海交通大学の「世界大学学術ランキング」によると、上位にランクされる東京大学、京都大学、大阪大学などのランキングが、2003年から2018年にかけて徐々に低下しており、日本の大学の研究力が劣化している、といわれている[144]。このように、論文や一部他の指標で測定された各種データからは、国際的に見た日本の研究力が、過去20年ほどで低下し続けていることがうかがわれる。

特　許

　科学技術指標2019によると、日本から出願された特許数[145]のうち、日本に出願された数（2017年で日本からの全出願の56.5％）は長期的に減少しており、2017年は約26万件で、ピークであった2000年と比較して約3分の2になっている。日本以外への出願数は2012年以降ほぼ横ばいで、2017年では約20万件であった。国際比較で見ると、日本のパテントファミリー＋単国出願数（説明は第3章を参照）は、2002〜2004年時点で第1位であったが、2013〜2015年時点では中国に次ぐ第2位である。パテントファミリー＋単国出願数の国際シェアは、1980年代から90年代のはじめまで、日本のシェアは他国を大きく引き離していたが、1990年代半ばからシェアが急激に減少しているという。

　一方、比較的質が高い特許をカウントしていると考えられるパテントファミリー数の変化をみると、1990年代より日本は国際シェア第1位を保っている。特許の技術分野ごとの分布をみると、2014年時点で、世界全体と比べて電気工学、一般機器、機械工学の比率が高く、一方でバイオテクノロジー・医薬品、バイオ・医療機器、情報通信技術の割合が低いという。前述のように、国際比較で日本の研究力が落ちているが、特許の国際シェアは引き続き高いことから、他の分野とくらべてサイエンス・ベースド・イノベーション

144）日本人のノーベル賞が「急減する」絶対的理由　東洋経済ONLINE 2019年10月10日
145）科学技術指標2019によると、特許の第一番目の出願人の国籍でカウントしている。

の分野での競争力が相対的に低下していることが予測されるが、サイエンス・ベースド・インダストリーの代表格である、バイオ、医薬、情報通信の特許数の比率が世界と比較して相対的に低いことは、この予測と整合的である。

3. 日本の研究力：まとめ

　日本の研究費は、主要国中で高い水準であり、研究に投じられている資金は多い。しかし、その内訳は、他の主要国に比して、企業が支出している割合が多く、その割合は年々増加している。企業は、当然ながら応用や開発研究に研究費の多くを投じており、基礎研究に当てた割合は2018年度には研究費の7.8％に過ぎない。また、基礎研究の多くを担う大学においても、基礎よりも応用や開発に投じられる研究費の割合が増えている。すなわち、日本では基礎研究に充てられる研究費の割合が小さく、その傾向は年を追うごとに強まっているのである。

　高度な科学教育を受けた専門人材の増加も、日本では芳しくない。研究者数自体は、他の主要国と比べても比較的多いが、博士号保持者が少ない。また、博士号を取得する研究者の数が、他の主要国と違い、減少傾向にある。また、博士号保持者の多くが大学に在籍し、米国と比較すると企業で働く博士号保持者の割合が大幅に少ない。この理由として、早くから新卒として採用して、社内で研究教育を施す日本式の商慣行、産で活躍する博士人材を積極的に育成してこなかった日本の大学院の事情、研究者の産学間での人材流動性が日本では低いこと、などがあげられる。博士号取得をめざす研究者が減っている一因として、ポスドク1万人計画で、正規職に就けない博士号保持者や、そのうち35歳以上のシニアポスドクが大幅に増加し、問題となっていることもある。

　このように、基礎研究に十分な研究費が割かれず、博士号取得者の数が伸び悩み、博士号取得者のキャリアパスが十分整備されていないことは、日本の基礎研究の将来に大きな不安を投げかける。基礎研究から先進的な科学技術の成果が多く出ないと、サイエンスをもとにしたイノベーションは生まれ

ない。サイエンス・ベースド・イノベーションが地域性を有すること（第9章参照）や、第3章に述べたナショナル・イノベーション・システムによって国ごとに埋め込まれたイノベーションのパスがあることを考え合わせると、日本のサイエンス・ベースド・イノベーションを活性化するには、日本の基礎研究力を上げることが重要である。また、日本の博士号保持者は大学に偏って分布しており、吸収能力（第11章参照）や、橋渡し型企業研究者の重要性（第7章参照）等を考えると、大学の科学知を効果的に企業のイノベーション活動につなぐには、もっと企業側に高度専門人材が存在する必要があるだろう。

　インプット側から推測される日本の基礎研究力の低下は、論文や大学研究のパフォーマンスに反映されているといって差し支えないだろう。主要国中で論文数の順位が低下しており、特に高インパクト論文の順位は低く、日本は、もはや新規性の高い良質なサイエンスを生み出す力が、国際的に見てかなり弱くなっている。

　大学の研究力も、他国と比較して相対的に落ちている。質の高いサイエンスを生み出す研究者は、イノベーションにも貢献する度合いが高く（第7章参照）、基礎研究力の低下は、我が国のサイエンス・ベースド・イノベーションの停滞に直結する。それでも、特許出願では、まだ世界トップレベルを維持していることは、よいニュースである。しかし、1980〜90年代に比べると、日本の特許数の世界シェアは大幅に減少しており、基礎研究力の低下が、イノベーションアウトプットに反映されてきている可能性がある。特に、典型的なサイエンス・ベースド・インダストリーであるバイオやITで、他分野に比べた特許数が主要国中で少なく、サイエンス・ベースド・イノベーションのアウトプットが弱まっている可能性がある。基礎研究に割く研究費や博士人材を増やして、我が国の基礎研究力を底上げし、大学から企業に専門性の高い科学知識がしっかりと移転されて、イノベーションへとつながるパスを強めていかないと、日本のサイエンス・ベースド・イノベーションの未来は暗いものになるだろう。

Ⅱ　理論編

第 3 部

サイエンス・ベースド・イノベーションの理論

第5章
サイエンス・ベースド・イノベーションとは何か

　第Ⅱ編では、サイエンス・ベースド・イノベーションを学術的な見地から解説する。第3部では、サイエンス・ベースド・イノベーションの概念を説明する原理的な考え方やモデルについて述べる。本章では、サイエンス・ベースド・イノベーションの源泉となるサイエンスについて、研究とは何なのか、科学知識はどのようにして共有されるのか、といった基本的な事項を説明する。

1．基礎研究と応用研究

　序章に記したとおり、サイエンスは、観察や実験、理論計算などを通じて現象の原理が実証されたものであり、科学研究者が大学や企業研究所などで行う研究活動から新たに見いだされるものである。

　では、研究、とは何か。自然科学における研究は、基礎研究と応用研究に分けられる。基礎研究について、OECDは、「主に現象や観察可能な事実のもととなる原理についての新たな知識を獲得するために行われる実験的または理論的な仕事」と定義づけている[146]。すなわち、生体現象や原子の構造、情報通信の基本的な仕組みなどを司る原理についての新たな理解を拡げるための活動、が基礎研究である、ということで、これは我々の一般的な理解にもよく合うだろう。

　一方、ストークス（1997）は、基礎研究のなかにも、様々な原理の新たな理

---

146) OECD Directorate for Scientific Affairs, Frascati Manual, (1994)

解を深める「純粋基礎研究」(pure basic research) と、応用の目的を念頭にお
きながら実施される「用途を考慮した基礎研究」(use-inspired basic research)
があることを指摘している[147]。ストークスは、この両者の基礎研究の類型を
説明する具体的事例として、1800年代に活躍した細菌学者であるルイ・パス
ツールを引き合いに出している。パスツールは、微生物発酵のメカニズムを
発見し、それをワインの保存法へと応用して、微生物の繁殖を抑制すること
で発酵による腐敗を防ぐ低温殺菌法を開発、普及させた。発酵の原理を解明
することは、純粋基礎研究の範疇であるが、同時に、発酵が酵母の働きによ
ることを明らかにしたことで、酵母を熱で殺菌することでワインの腐敗が防
止できるという産業応用も可能にした。このように、基礎研究の中には、自
然原理の追究が、応用用途の開拓にもつながる研究があり、これを、用途を
考慮した基礎研究と呼んだのである。基礎研究についての同様の分類は、吉
川・内藤 (2003) も示している[148]。彼らは、未知現象を観察、実験、理論計
算により普遍的な理論を発見、解明、形成するための研究を「第1種基礎研
究」と呼び (これは上でいう純粋基礎研究に当たる)、特定の経済的・社会的
ニーズに基づいて、第1種基礎研究で得られた普遍的な知識を選択、融合、
適用することで、科学知識を社会や産業のニーズと連結させる研究を「第2
種基礎研究」と呼んだ。この「第2種基礎研究」は、第1種基礎研究と製品
化研究をつなぐ役割の研究と位置づけられており、用途を考慮した基礎研究
と似た概念と言える。第2種基礎研究は、社会や産業上のニーズを研究動機
とする、と述べられており、この場合は、基礎研究者自身が用途を最初から
念頭において研究を実施することを想定している。一方で、例えば医学では、
病気の原因を解明する純粋基礎研究が、治療薬の開発につながる研究に自然
とつながることがあるように、自然原理を追求する基礎研究が応用可能性を
意図せず内包している場合もある。

---

147) Stokes DE, (1997) Pasteur's Quadrant: Basic science and technological inno-
    vation, Brookings Institution, Washington, DC.
148) 吉川・内藤 (2003) 第2種基礎研究, 日経BP社

　このように、現象の基本原理を解明する基礎研究のなかには、研究者自身が意図したかしないかにかかわらず、産業用途（製品やサービスなど）に結びつく可能性を秘めたものが存在しており、これが、サイエンスがイノベーションの源泉となり得る一つの論拠である。サイエンスに内包される応用可能性に気がつかない限り、サイエンス・ベースド・イノベーションは起こらないので、それが自明の場合は良いが、自明でない場合は、イノベーションの具現化には用途の機会を正しく発見することが必然となる。すなわち、基礎研究成果のなかに応用ポテンシャルを見いだせる研究者の能力や、応用機会へとつなげる橋渡しを促進する研究マネジメントが、サイエンス・ベースド・イノベーションの実現にはきわめて重要なのである。この論点は、第7、第11章で詳しく論ずる。

　一方で、純粋基礎研究から得られた自然現象の原理といった科学的な知識を特に必要としない/活用しない研究も、当然ながら存在する。前述のストークスは、現象の一般原理の解明をめざさない、純粋に応用のみを目的とした研究を、応用研究（applied research）と定義した。十分に汎用化された技術や、シンプルな機械的仕組みに基づいた製品の開発、既存製品に単純な技術的改良を加えただけの新製品の研究開発などは、この範疇に入る。すなわち、産業応用をめざす研究にも、新たな科学的知識を活用する研究とそうでないものがある、ということである。この両者は、単純に二分化できるものではない。なぜなら、新製品の創出や改良に、どこまで科学的知識が使われていれば、用途を考慮した基礎研究で、どこまでなら応用研究なのか、の線引きは難しいからである。しかし、サイエンスに基づいたイノベーションについて、理解を整理するには、単純化は否めないものの、こうした研究種属の区分は役に立つだろう。

　上述の研究区分と、それぞれの関係性を纏めたのが図3である。まず、既存の科学知識の体系を拡げて、新たな原理や自然現象への理解を深めるのが、純粋基礎研究（一番左の縦のライン）である。一方、既存の科学知識が、製品開発のための原理やアイデアに活用される場合は、用途を考慮した基礎研究となる（左下から中央へのライン）。このパスは、もともとは用途を意識して

図3　基礎研究、応用研究と製品開発の関係

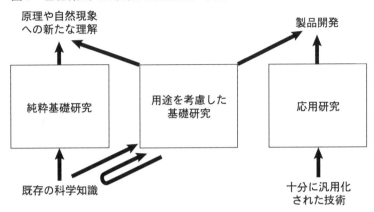

Stokes DE（1997）Pasteur's Quadrant p.88より筆者改訂

研究を行ったわけではないが、得られた科学知識が意図せず製品開発のためのアイデアに使われる場合（ストレートな矢印）と、用途を考慮した研究から、さらなる基本原理等の深耕が必要となり、そのニーズからなされた研究で得られた科学知識が使われる場合（U字の矢印）がある。これらとは別に、十分に汎用化された技術を用いて製品を開発する場合が、応用研究のパス（一番右の縦のライン）となる。

2．学術論文による科学知の公表

学術論文とは

　研究者によって発見・解明された新たな科学知識は、学術論文の形で公表される。科学技術に関する学術論文を掲載する学術誌は、2018年時点で英文誌が3万3,100誌、非英文誌が9,400誌存在し、年間3億本を超える学術論文が発表されている。さらに、学術論文の数は、年間3.5％の割合で増加し続けている[149]。

---

149) The STM report, Fifth Edition,（2018）

　学術誌に発表される学術論文には、これまで公表されてきた研究成果を纏めて紹介する総説（レビュー）論文や、正確な理論的・実験的エビデンスに基づかない著者の意見を記したコメンタリーなどもあるが、既存の学問体系に新たな知識を加える、という科学研究本来の目的で発表されるのはオリジナル論文であり、実際、公表される論文の多くは、オリジナル論文である。オリジナル論文は、その分野の専門性を高く有する複数の査読者によって査読を受け、査読者の意見を取り纏めるエディターが査読結果を総合的に判断して、採択を決定したものだけが公表される、というプロセスを踏むのが一般的である。通常、査読者は 2 ～ 3 名がアサインされ、著者と査読者の名前は互いに明かされない状態で、査読が行われる。これによって、人的繋がりや相手に対する忖度を反映せずに、論文原稿の内容に対して公平な科学的評価が行われうるからである。

　査読の結果、却下（reject）、修正（revise）、受理（accept）といった判断が成される。最終的に受理される場合でも、1 度目や 2 度目の査読では修正を求められることが多く、その修正の度合いによってmajor revision（実験の追加や大幅な論文の書き直しを命ぜられる場合）とminor revision（小規模な修正のみを求められる場合）がある。

　この査読プロセスは、学術論文の質を保つうえできわめて重要である。新たな科学知識は論文によって公表され、それが既存知識となって次の新しい研究がなされ科学知識が積み重なっていくわけなので、公表される学術論文が科学的に正しくない、信頼に値しない、ということだと、学問が間違った方向に誘導されたり、意義の薄い研究がなされてしまったりする。近年は、査読することを謳っておきながら、実際にはほとんど査読せずに論文を受理、公表する学術誌（いわゆるハゲタカジャーナル）が多く出現しており、社会問題となっている[150]。こうした雑誌は、論文公表に際して、論文の投稿者から掲載料を取って収入を得ることを目的に運営されている。このような粗悪学術誌が横行すると、科学コミュニティから学術的レベルを担保されていない

150）学術の健全性損なう「ハゲタカジャーナル」日本経済新聞 2019年 2 月 7 日

科学知見が流布されることとなり、学問の発展にとって由々しき問題である。

「再現性の危機」問題

　では、正当な査読プロセスを経て公表されている研究結果はすべて信頼に足るのか、というと、それはまた別問題である。査読者は、これまでの科学的知識に照らして、論文が述べる研究デザインや実験・理論計算等の結果、そこから導かれる考察や結論等が、科学的に妥当か、オリジナル論文として発表するに値する十分な新規性を有しているか、といったことを評価しているのであって、論文に記載されている実験自体を自分たちでやり直しているわけではない。したがって、報告されている実験結果自体に再現性がない場合、査読プロセスだけではそれを確認することはできない。Nature誌の調べでは、約1,500人の研究者に、他人の実験結果が再現できなかったことがあるかを尋ねたところ、70％以上の研究者が、ある、と回答している[151]。これは、「再現性の危機」と呼ばれ、前述のNature誌の調査では、実に90％の研究者が、再現性の危機が、大いに、あるいは、やや、あると回答している。

　論文の研究結果に再現性がないと、その結果に基づいて次の新しい研究を行い、何らかの新たな発見や発明をめざしても、それが間違いである危険性が高くなる。そのため、多くの研究者は、まず自分たちが基づくべき先行研究の結果を、自らの手で再現することから始めるが、再現性がない研究の場合、実験条件や手技の違いなど、再現性が取れない原因究明を行って無為な時間を費やしたり、見切り発車で次の研究をデザインして間違った方向性の研究をしてしまうことになったりして、学問の進展に負の影響が生じる。それだけでなく、その科学知識を活用して製品開発に繋げようというイノベーターたちの活動にも、深刻な影響が出る。

　実際、製薬業界では、新薬の発想の源となり得る科学論文結果の再現性が低いことが、創薬研究の現場で問題となっている。バイエルは、癌領域で新

---

151) Baker M,（2016）1,500 scientists lift the lid on reproducibility. Nature, 533, pp.452-454.

薬研究に重要と考えた論文の追試を社内で実施したところ、約25％しか再現性が得られなかったと報告している[152]。アムジェンは、癌領域でインパクトの大きな学術論文の再現性を社内で検討したところ、対象とした53報中、実に47報で再現性が確認できなかったとしている[153]。すなわち、再現性の危機は、サイエンスそのものの発展だけでなく、サイエンス・ベースド・イノベーションの生産性の点からも、重大な問題といえる。学術コミュニティでは、再現性の重要性の啓蒙や、出版ガイドラインの改定による実験方法やデータのより詳細な開示の推進などが図られている[154]。

　再現性の危機問題の原因は、研究者自身がデータをねつ造している場合と、その実験結果が限られた実験条件下でないと再現できないものである場合とがある。前者は、論文実績を高めて研究ポストを獲得するための研究者の熾烈な争いといった事情が背景となる場合もあり、解決は簡単ではないが、研究者への教育や啓蒙活動は、有効な手段の一つになるだろう[155]。一方、実験条件の問題は、実験材料や方法、手技のより詳細な公開を義務づけることで、一定の改善が図れるかもしれない。研究者たちの自立的な取り組みに強く期待したいところである。

３．サイエンス・ベースド・イノベーションにおける科学知識の獲得経路

　学術論文は、いったん公表されると、その科学雑誌に購読料を支払うこと

152) Prinz F, Schlange T, Asadullah K, (2011) Believe it or not: how much can we rely on published data on potential drug targets? Nature Reviews Drug Discovery, 10, pp.712-713.

153) Begley CG, Ellis LM, (2012) Drug development: Raise standards for preclinical cancer research. Nature, 483, pp.531-533.

154) IAP for Health, (2016) http://www.interacademies.org/39535/Improving-the-reproducibility-of-biomedical-research-a-call-for-action

155) 論文捏造などの研究不正（ミスコンダクト）については、専門の研究が行われているので、興味があればそちらを参照されたい。例えば田中・小出・安井（2018）科学者の研究倫理 化学・ライフサイエンスを中心に, 東京化学同人、白楽（2011）科学研究者の事件と倫理, 講談社、など。

によって、あるいはオープンアクセス論文[156]であれば無料で、読むことができるため、サイエンス・ベースド・イノベーションのプロセスにおいて、製品やサービス開発の源となる科学知識を得るための主要な経路となる。前項冒頭に述べたとおり、学術誌の大半は英文誌であるため、公表される科学知識の多くは、世界中の研究者に共有されうる。近年は、インターネットの発達で、多くの学術雑誌が電子ジャーナルをもち、ウェブ上に論文を公開するため、学術論文は公表されるやいなや、世界中で瞬時にアクセスができる。新たな科学知識が、国境を越えて研究者たちにシェアされるスピードは、ますます速まっていると言えるだろう。

このように、学術論文が公表されることで、そこに記された科学知識は広く共有され、利用可能となるため、科学は公共財としての性質をもつ。このことは、サイエンス・ベースド・イノベーションにおいて重要な意味をもつ。一つは、サイエンス・ベースド・イノベーションでは、潜在的な競合相手が世界中に存在しうるということである。サイエンス・ベースド・イノベーションでなくとも、同様の新製品やサービスのアイデアをもちうる競合相手は、どこにでも出現しうるが、サイエンス・ベースドの場合は、イノベーションにつながりうる科学知識が発表されると、それが起爆剤となって製品やサービス開発のアイデアが生まれるため、産業応用の可能性が示唆される科学知識を記した論文が出ると、世界中でイノベーションのトリガーが引かれることになる。

したがって、イノベーションの観点から「面白い、使えるかも」と思う論文が出たら、そのときは世界中に潜在的な競争相手が生まれている、ということになる。それ故、学術論文のタイムリーなサーチによる素早い情報収集と、それを製品やサービスの開発に活用する研究開発のスピードが、まさに

---

156) オープンアクセスとは、著者が掲載料を支払うことで、学術誌側がネット上で論文を無料公開したり、著者自身が機関や個人HP等で論文を無料公開したりする仕組みである。1990年代までは、学術誌が購読する読者にのみ論文を公開していたが、2000年代に入り、論文の幅広い共有を行うべきとの気運が高まり、オープンアクセスが広がった。

イノベーションの競争力を分けることになる。二つ目は、論文が世界中から等しくアクセス可能である以上、サイエンス・ベースド・イノベーションでは、地域を越えた研究者へのアクセスが頻繁に起こりうる、ということである。国際的な共同研究などが普通に行われるのが、サイエンス・ベースド・イノベーションの一つの特徴であろう。すなわち、グローバルに対応できる研究開発体制や研究人材の育成が、競争力の源泉の一つになるといえる。

　サイエンス・ベースド・イノベーションにおいて、新たな科学知識を獲得する経路は、学術論文だけではない。一つは、学会である。学会は、通常、論文発表前の研究成果について、口頭やポスターの形で発表される。そのため、論文化される前の最新の科学知見を獲得することができる。一方、論文に比べて公表される研究内容は予備的なものであり、抄録集に記載される内容も限られた情報のみである。情報収集チャネルとしての学会のもう一つのメリットは、研究者と直接情報交換ができることである。口頭発表の会場や、ポスター発表の展示場所、懇親会等で、興味ある研究の発表者に直接質問を投げかけ、公表されなかった研究の詳細や追加情報などを得ることができる。こうしたコミュニケーションからは、学会発表や学術論文に明示される形式知には含まれない、研究者の考えや実験のノウハウなどの暗黙知を獲得することができる[157]。

　大学と企業研究者間の共同研究や、両者のインフォーマルなコミュニケーションも、サイエンス・ベースド・イノベーションに活用可能な新たな科学

---

157) Polanyi M, (1966) The Tacit Dimensionでは、言語や数字などで表現、伝達される明示的な知を「形式知」、特定状況に関する個人的な知識で形式化が難しい知識を「暗黙知」とされた。経営学ではこれを援用し、野中・竹内（1996）知識創造企業 では、製品開発者の製品イメージ等の発想である暗黙知を、形式知化して伝達・共有し、それを連結させて体系的知識へと総合化して、新製品開発等に繋げていく、という知識創造理論が提唱された。サイエンス・ベースド・イノベーション論では、このアナロジーから、論文等で言語化された知識を形式知、研究者の発想やノウハウ等の言語化されていない知識を暗黙知、とされることが多く、本書もその定義を採用している。

知識を獲得する有効な経路である。本経路では、まだ学会や論文で公表され
ない最先端の研究にアクセスできるうえ、研究者間の密なコミュニケーショ
ンを通じて、研究の発案や思考、ノウハウに関わる暗黙的な知識が獲得でき
る。実際、日本のバイオ産業では、企業研究者が大学の研究室に派遣されて
研究を実施することで、一流の大学研究者の暗黙知が移転され、企業の製品
開発に活用されてきたことが実証されている[158]。

　共同研究やインフォーマルなコミュニケーションは、国際的なものも多く
行われており、必ずしも地域性を有する場合だけではないが、地理的に近接
しているほうが連携や情報交換の頻度とやりやすさが増すため、論文と違っ
て一定の地域集積のメリットが生じる、という点も本チャネルの特徴である。
半導体・IT産業におけるシリコンバレーや、バイオ産業におけるボストン
などは、有名大学や研究機関が集積し、そうした科学技術インフラと、そこ
から生み出される情報や人材ネットワークが、産業発展に大きく寄与してき
た。ある産業の発達が特定地域に起こるクラスター現象は、サイエンス・ベ
ースド・イノベーションを活用する産業でのみ見られるわけではないが、先
端的な科学技術を活用する産業ほど、大学や研究機関などの集積が重要と言
われており、人的交流を介した科学知識の移転が、サイエンス・ベースド・
イノベーションの創出に大きな役割を果たしている[159]。デメリットとしては、
論文や学会を活用する方法だと、様々な知識に短時間でアクセス可能である
のに対して、共同研究や人的交流を介した経路は、対象の大学等研究者が実
施している研究に情報が限られることになるため、企業にとっては、時間的・
金銭的な負担の割に得られる科学知識の幅が狭い、という点がある。また、
特定の大学研究者と共同研究することで、他の類似研究へのアクセスに制限

---

158) Zucker LG, Darby MR, (2001) Capturing technological opportunity via Japan's
　　 star scientists: evidence from Japanese firm's patents and products. Journal of
　　 Technology Transfer, 26, pp.37-58.
159) クラスター理論では、知識や人的資源の集積のみがクラスターの成功要因として
　　 挙げられているわけではなく、市場や関連産業、競合環境なども影響することは注
　　 意を要する（ポーター, (1999) 競争戦略論IIなどを参照のこと）。

表1 科学知識を獲得するチャネルとそれぞれの特徴

チャネル	得られる情報や知識の内容	得られる知識の性質	情報の秘匿性	情報共有の地域性	得られる情報の鮮度	得られる知識の幅	研究にかかる制限
学術論文	論文で発表される研究成果	形式知	低い（論文で公表された情報）	無し	やや高い	広い	無し
学会、講演会など	・口頭やポスターで発表される研究成果 ・一部のノウハウや背景知識など（参加者とのコミュニケーションがある場合）	形式知一部暗黙知	やや低い（通常論文発表前の情報が参加者だけに公開）	低い	高い（通常は論文発表前の情報）	広い	無し
産学協同研究やインフォーマルな連携	・公開前の研究成果 ・実施する研究のアイデアやアプローチ法 ・ノウハウや背景知識	形式知暗黙知		やや高い	極めて高い（公開前情報）	狭い（共同研究先や連携相手の知識に限られる）	類似研究の実施に制限

がかかるなどの問題もある。

　このように、サイエンス・ベースド・イノベーションに活用される科学知識は、複数のチャネルを介して獲得可能であり、それぞれのチャネルごとに長所と短所がある。各チャネルの特徴は表1に整理した。

第6章
サイエンスとイノベーションの関係性

　サイエンスがイノベーションに活用、転換される過程は、様々にモデル化されてきた。本章では、そうしたモデルを概説し、サイエンスとイノベーションの関係性について考察する。

1. リニアモデルと連鎖モデル

リニアモデル

　サイエンスがイノベーションへと直線的につながる、というモデルを、最初に広く提案したのは、米国の科学者ブッシュである。ブッシュは、ルーズベルト大統領の科学アドバイザーを務めていた1945年に、Science: The Endless Frontierと題した報告書を発表した[160]。そのなかで、基礎研究（ブッシュは、本報告書のなかで、応用目的を意識しない、純粋に一般的な科学知識や自然現象への理解を得るための研究を基礎研究としている）は、しばしば意図せずに実用的な課題に対する解決法を提供し、製品等の開発や生産、実用化を導くことを主張した。本モデルは、以下のように図式化された。

Basic research ->Applied research ->Development ->Production and Diffusion

---

160) Bush V, (1945) Science: The Endless Frontier, United States Government Printing Office, Washington.

すなわち、基礎研究からもたらされる科学知識が、応用研究を経て製品化、市場浸透へと一方的に進んでいく、というイノベーション創生理論であり、この考え方は、リニアモデルと呼ばれるようになった。ブッシュは、科学者として、原子爆弾を開発したマンハッタン計画に深く関わっており、物理学、化学、材料科学といった基礎的な科学研究が原爆開発を可能にした実例が、本モデルの念頭にあったようである。また、報告書のなかには、化学や生物の基礎研究から医薬品が生み出される例も取り上げられていた。

　本モデルは、ブッシュの提言から半世紀以上が経過した現在でも、サイエンス・ベースド・イノベーションの一部のメカニズムをうまく説明している。サイエンス・ベースド・イノベーションを活用する典型的な産業はバイオ・医薬であるが、バイオテクノロジーが大きなイノベーションを生み出した事例の一つとしてよく取り上げられるのが、遺伝子組み換え技術のライセンス化である。1973年に、スタンフォード大学のコーエンとカリフォルニア大学のボイヤーが組み換えDNA技術を発明し、その商業性に目をつけたスタンフォード大学技術移転オフィスのライマースが、本技術を特許出願し（コーエン-ボイヤー特許）、多数の企業にライセンス供与することでスタンフォード大学に多額のライセンス収入をもたらした。コーエンは、当時、本技術の実用化について具体的イメージを描いておらず、特許出願に後ろ向きだったとされる[161]。すなわち、商業化を念頭に置いたわけではない基礎研究から生み出された先進技術が、多数の技術や製品開発に結果的に応用され、経済価値を生み出しており、ブッシュが主張したリニアモデルの概念に合った、サイエンス・ベースド・イノベーションの例といえる。

　新薬研究開発にも、リニアモデルで説明されるサイエンス・ベースド・イノベーションが多数存在する。例えば、2018年にノーベル医学生物学賞を受

161）本事例は、ライマース自身が文献を発表しており（Reimers N, (1987) Tiger by the tail. CHEMTECH, 17 (8), pp.464-471）、大学の技術移転の成功例としての分析もされている（高橋・中野, (2003) 赤門マネジメント・レビュー, 2 (10), pp.481-530など）。

賞した本庶教授らが開発した癌免疫治療薬は、本庶らのグループが、免疫学の基礎研究のなかで、細胞が自己の免疫攻撃から逃れるメカニズムとして、PD-1/PD-L1という分子を介した免疫チェックポイントと呼ばれる生体機能があることを発見し（basic research）、そのメカニズムを創薬に応用してPD-1の働きを抑制することで（applied research）、生体が自己の癌細胞を攻撃して死滅させる新しい癌治療薬を開発（development）した例である。このように、従来の薬剤とは異なる新しい作用メカニズムを有する革新的新薬の場合、医学生物学の基礎研究から、生体の新たな機能が明らかとなり、それを医薬応用して創製されたものが数多くある。

連鎖モデル

　クラインは、1985年に、イノベーションは研究から開発へと一方向に進むばかりでなく、新市場の可能性や、技術・製品改良のプロセスからのフィードバック、市場からのフィードバックなど、多様なフローパスを経て起こると主張した[162]。彼が提唱した連鎖モデル（chain-linked model, 図4）では、新市場の可能性が見いだされると、プロトタイプの発明やデザインがつくられ、それが改良を経て製品となり、市場に送り込まれるが、その過程の複数の段階で、研究と開発や製品の間に相互作用が生じることが示されている。すなわち、プロトタイプの発明やデザインの段階で問題が生じると、その解決策が研究に求められる、技術改良の過程で生じる課題の解決のために研究が実施され、その結果が改良に反映される、市場に出た製品の情報や社外の動きが研究にフィードバックされる、といった相互作用である。

　連鎖モデルは、サイエンスがイノベーションの源泉となるサイエンス・ベースド・イノベーションにおいても、多くの例が当てはまると考えられる。サイエンス・ベースド・イノベーションが活用される代表的な産業である半導体産業では、量子力学で分子内の電子の挙動が解明され、その原理に基づ

---

162) Kline SJ, (1985) Innovation is not a linear process. Research Management, 28 (4), pp.36-45.

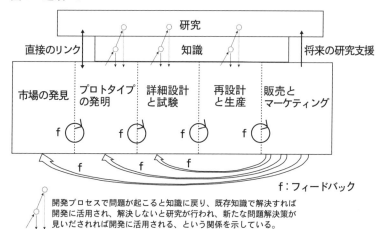

図4　連鎖モデル

研究

直接のリンク　　　　　　知識　　　　　　将来の研究支援

| 市場の発見 | プロトタイプの発明 | 詳細設計と試験 | 再設計と生産 | 販売とマーケティング |

f　　　　　f　　　　　f　　　　　f

f　　　　　f　　　　f

f：フィードバック

開発プロセスで問題が起こると知識に戻り、既存知識で解決すれば
開発に活用され、解決しないと研究が行われ、新たな問題解決策が
見いだされれば開発に活用される、という関係を示している。

Kline & Rosenberg（1986）[163] をもとに筆者作成

いて半導体が開発されたという意味では、サイエンスが応用を生み出したと
言えるが、実際には、むしろ整流装置への産業側のニーズが技術開発を進め
た、と捉えられている[164]。また、半導体の基本技術が確立された1970年代以
降は、製品高度化をめざす半導体の集積度を高める技術開発競争が、半導体
産業の成長を牽引し、市場の要請に応じた技術改良がイノベーションのドラ
イバーになったと言える[165]。

　自然科学分野のノーベル賞は、著名な純粋基礎研究の成果に授与されるも
のと理解されがちだが、先進技術開発に与えられたノーベル賞には、連鎖モ
デルで基礎研究が推進されたと理解すべき例も多い。読者に身近な例として、
日本人が受賞した事例に目を向けても、2014年のノーベル物理学賞の対象と

163) Kline SJ, Rosenberg N, (1986) An overview of innovation, In Landau R,
　　Rosenberg N, (eds.), The Positive Sum Strategy: Harnessing Technology for
　　Economic Growth, Washington, D.C.: National Academy Press, pp.275-305.

164) 後藤・小田切編（2003）サイエンス型産業, NTT出版 pp.211

165) インテル社を創業したムーアは、1965年に、半導体の集積率が1年半で2倍に増
　　加し続ける、と予測し、「ムーアの法則」と呼ばれた。

なった青色発光ダイオード（LED）は、すでに開発されていた赤色や黄緑色のLEDに青色が加わることでフルカラー発光が実現される、という市場ポテンシャルから、多くの大企業で開発が試みられていたものの実用化せず、窒化ガリウムを材料に用いた日本人研究者の努力で開発に成功したものである。その過程では、窒化ガリウムの単結晶化の成功、ｐ型窒化ガリウム半導体のプロトタイプの作成や、窒化ガリウム結晶やｐ型化の効率的な作成法の開発など、複数の研究者による試行錯誤が、プロトタイプから製品化までにいくつもの技術的ブレークスルーを生み出していた[166]。

　2019年のノーベル化学賞の対象となったリチウムイオン電池は、充電可能で小型・軽量な二次電池が求められるなか、電極に用いられる材料の研究が進み、実用化に至った発明であった。その過程で、正電極活物質としてリチウムコバルト酸化物が見いだされ、負極活物質としてはまずポリアセチレンを用いて試作品がつくられ、さらに炭素材料を用いた改良型が実用化への道を開いた[167]。これらはいずれも、マーケットや開発段階でのニーズが研究をトリガーし、その研究の成果が技術開発や実用化に活用されたケースと言えるだろう。

　新薬研究開発においても、改良型新薬の多くは、連鎖モデルでイノベーションが説明されると考えられる。従来存在しない新規作用機序に基づく画期的新薬の場合、リニアモデルが成り立つケースが多いことを前項で説明したが、改良型新薬の場合は、開発段階や市場で見られた副作用の改善や、利便性の向上など、開発やマーケットからの情報のフィードバックで研究が進むことが多い。このように、サイエンス・ベースド・イノベーションの典型とされる新規医薬品の研究開発においても、リニアモデルと連鎖モデルでそれ

166）戦後日本のイノベーション100選　発光ダイオード
http://koueki.jiii.or.jp/innovation100/innovation_detail.php?eid=00010&test=open&age=toptenを参照
167）戦後日本のイノベーション100選　リチウムイオン電池
http://koueki.jiii.or.jp/innovation100/innovation_detail.php?eid=00089&test=open&age=present-dayを参照

ぞれ説明される場合に分けられる、と指摘されている[168]。

　新ビジネス創出をめざすディープテック・スタートアップは、連鎖モデルのなかでも特に市場からのフィードバックが強いモデルとして捉えることができるだろう。上記にあげた連鎖モデルでイノベーションが進んだ事例は、サイエンス側からのプッシュと、市場からのフィードバックが相まってイノベーションが進んだと理解できるが、ディープテックでエマージングな社会課題に応える場合は、むしろ市場からの要請があり、それに当てはまる技術を先進サイエンスが提供する、という構図になる。むろん、この場合でも、基礎的な科学研究や技術開発の成果があって、イノベーションが可能となるわけだが、環境問題やコロナウイルス対策など、解決したい社会課題が明確な場合は、それに先進技術をどう使うか、という発想がむしろ大事になる。例えば、二酸化炭素排出量を減らすためにバイオエネルギーを開発する、ウイルス感染を防ぐためのソーシャルディスタンス確保のために、配達にドローンやロボティクスを活用する、などである。

　このように、先進的な技術に基づいたサイエンス・ベースド・イノベーションであっても、研究のきっかけが、新市場のポテンシャルや市場からの要請である場合は多い。近年の、ディープテックによる社会課題解決型イノベーションは、特に市場からの要請に偏ったケースとも言える。また、プロトタイプが改良されて製品に至るまで、諸々の課題を都度研究によって解決し、実用化に至ることも一般的である。こうした事例は、先端技術開発が新規製品を生み出したイノベーションのケースとはいえ、純粋に科学的好奇心から成された基礎研究成果が意図せず応用に結びついたわけではなく、上述した連鎖モデルで説明されるプロセスを経て、研究がイノベーションに貢献しているのである。

168）高橋（2006）創薬研究の市場化に関する事例研究，第21回研究・技術計画学会
　　http://www.jaist.ac.jp/coe/library/jssprm_p/2006/pdf/2006-1B15.pdf

2．魔の川、死の谷、ダーウィンの海

　製品開発において、研究段階から市場浸透までのいくつかのハードルを、魔の川、死の谷、ダーウィンの海、と呼ぶことがある。魔の川は、研究ステージと、製品化に向けた開発ステージの間の障壁、死の谷は、開発ステージと事業化ステージの間に存在する障壁、ダーウィンの海は、事業化ステージと市場浸透の間に存在する障壁を指す[169]。これらの定義は、技術をイノベーションに結びつけるまでのいくつかの障壁を上手く表現しており、サイエンス・ベースド・イノベーションによくフィットする概念である。

　まず、サイエンスの新たな発見や、萌芽的な先進技術があっても、それが製品アイデアや市場のニーズに結びつかないと、その科学技術シーズは生かされず、研究のままで終わってしまう。これが魔の川である。せっかくの研究成果が水に流れてしまうという比喩で、川に例えられている。次に、開発段階に入った製品シーズが、事業化段階に移行するためには、多額の開発費用や、商用生産、販売チャネルの確保などの課題があり、これを死の谷と呼ぶ。ここを乗り越えないと、製品開発プロジェクトは死んでしまうので、死の谷といわれる。例えば創薬の場合であれば、研究段階で見出された新薬候補化合物が、臨床試験でテストされて当局の新薬承認を得るためには、7年程度かかり、承認に至るプロジェクトの割合は12%、製薬企業の投じた研究開発費から見積もって、新薬一剤を開発するのに2.6ビリオンドル（1ドル＝100円で計算して約2,600億円）のコストがかかる[170]。まさに、死の谷、である。次に、製品化されて市場に出たとしても、それがヒット商品となり、市場浸透するかには、次の障壁がある。これがダーウィンの海である。新製品が、競合品や顧客ニーズといった荒波にもまれ、市場の海を泳ぐ様を、自然淘汰

---

169) https://www.jmac.co.jp/glossary/2016/10/devilriver.html

170) PhRMA2019 Industry Profile　https://www.phrma.org/-/media/Project/
　　　PhRMA/PhRMA-Org/PhRMA-Org/PDF/5--67416-Dynamic.pdf

の原理に例えてこう呼んでいる。

　この3つの障壁を、実際の製品開発の実例に照らして見てみよう。リチウムイオン電池の発明で2019年ノーベル化学賞を受賞した吉野彰氏によると、リチウムイオン電池の開発には、魔の川、死の谷、ダーウィンの海がそれぞれ存在したという[171]。ポリアセチレンの研究から始めて、試行錯誤を経てリチウムイオン電池の原理を発明するまでの研究段階が魔の川、開発段階で事業化に向けて次々と出てくる課題の解決に追われ、最終的に事業化の判断を得るまでが死の谷、工場をつくってリチウムイオン電池を売り出したが、しばらく販売は振るわず、本格的に市場が立ち上がるまでがダーウィンの海、であった。それぞれ約5年の期間がかかったという。

　伊丹・宮永は、日本語ワープロの例で、魔の川、死の谷、ダーウィンの海を説明している[172]。郵便番号自動読み取り機の開発を通じて、手書き文字のコンピュータ処理技術が蓄積されていたが、そこから、かな漢字変換を実用に耐えうる正解率まで高める技術を確立する過程が魔の川、事務職員が日本語の文書を速いスピードでつくれるところまで試作機を完成させた過程が死の谷、試作機の発表や生産体制の形成を経て、ビジネス客がワープロを使い出し、パーソナル小型機が手ごろな価格で販売されるようになる過程がダーウィンの海、であったという。いずれの事例でも、研究、事業化、市場獲得の各段階で、それぞれ別々な困難があったことがわかるだろう。

3．技術開発の軌跡とイノベーションとの関係

技術のS字カーブ

　サイエンス・ベースド・イノベーションを考察する際に、技術が辿る変遷

171）吉野（2017）「ダーウィンの海」についての一考察　リチウムイオン電池発明から市場形成まで，産学官連携ジャーナル，2017年12月号　https://sangakukan.jst.go.jp/journal/journal_contents/2017/12/articles/1712-10/1712-10_article.html
172）伊丹・宮永（2014）イノベーション経営を阻む三つの関門，日経BizGate 2014/5/20　https://bizgate.nikkei.co.jp/article/DGXMZO31154140030052018000000

図5　技術のS字カーブとS字ジャンプ

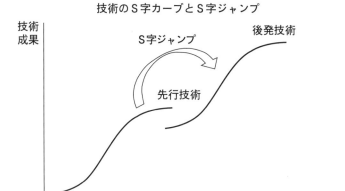

技術のS字カーブとS字ジャンプ

筆者作成

について知ることは重要である。フォスター（1986）によると、新技術は、縦軸に技術成果、横軸に投入リソースを置いた場合、S字カーブで進化する[173]。技術開発の初期段階は、試行錯誤が必要で、その進化は緩いが、普及段階では、情報が多く集まり、問題解決が速いスピードで進むようになるため、技術成果の成長は早くなる。成熟段階に近づくと、さらなる改良には労力と資金がかかるようになり、技術進化は飽和し始める。例えば半導体の集積回路のように、技術の物理的限界がある場合には、そこまでで技術進化は頭打ちになる。このため、新技術の成長は、S字カーブになる、といわれている。前述のフォスターによると、先行技術を原理的に上回る後発技術が出現すると、先発技術のS字カーブの延長線上にない、不連続なS字カーブが新たに描かれることになる。ブレークスルーとなる後発技術は、初期段階では、先行技術より性能が劣る場合も多いが、成熟段階では先行技術の性能を超える。このように、S字のジャンプが起き、技術は進展していく、というのが、S字カーブで説明される技術革新の軌跡である（図5）。

---

173) Foster RN, (1986) Innovation: The attacker's advantage, Summit Books.

サイエンス・ベースド・イノベーションにおけるS字ジャンプ

　このS字カーブのジャンプによって、技術やそれを用いた製品が置き換えられる例は、サイエンス・ベースド・イノベーションでよく見られる。写真の技術革新はわかりやすい例であろう。かつては、銀塩フィルムを用いたカメラが一般的だったが、デジタル写真技術が進み、2000年代に入って、デジタルカメラが銀塩フィルムカメラを置換し、市場で主流となっていった。この技術革新に乗り遅れて、銀塩フィルムの世界大手であったイーストマン・コダックは2012年に経営破綻している。

　このケースでは、カメラという市場のなかで、製品を構成する要素技術が非連続なS字ジャンプの進化を遂げたことにより、製品やそれを開発・販売するプレーヤーが変化している。最近の例では、量子コンピュータは、古典コンピュータをS字ジャンプで置き換える技術革新となる可能性がある。従来型のコンピュータは、情報が0か1の状態を取ることで、2進法の演算によって情報処理が成されるが、量子コンピュータでは、一度に複数の状態を取れる量子の特徴を用いることで、従来型コンピュータより飛躍的に高い演算能力を達成できる。本原稿を執筆している時点で、汎用型量子コンピュータはまだ実用化されていないが、情報処理の原理となる技術自体が変わることで、市場が塗り変えられるとすれば、量子コンピュータは技術進化のS字ジャンプとなる可能性があるだろう。

破壊的イノベーションと持続的イノベーション

　クリステンセンは、その著書『The Innovator's Dilemma（邦訳：イノベーションのジレンマ）』で、上述の技術のS字カーブの考え方に市場の観点を加え、新技術によるイノベーションにおいて、既存技術での勝者が新市場では時としてリーダーシップを失うメカニズムを理論化した。ディスクドライブを対象とした分析では、メインフレーム用に14インチ・ドライブを開発していた企業は、14インチ・ドライブの容量を高める技術改良に力を注ぎ、一方で、その後8インチや5.25インチのディスクドライブが出現して市場を拡大した際に、新市場への参入が遅れた。これは、8インチや5.25インチ・ド

ライブは、ミニコンやデスクトップ・パソコンのユーザを主な顧客とし、その市場においては、ドライブの記憶容量の増加よりも、（メインフレームユーザにはほとんど価値がない）小型化に価値が見いだされていたためであった。加えて、開発初期段階には、容量で14インチよりも大幅に性能が劣っていた8インチ・ドライブは、その後技術改良が進み、メインフレーム市場でも14インチ・ドライブを置換していった。

　このように、既存技術が対象とした市場（上の場合はメインフレーム）とは別のところで、新たな用途をめざす新技術の市場（上の場合はミニコンやデスクトップ・パソコン）が出現すると、その用途に求められる技術性能は、既知市場とは異なる価値（上の場合は容量ではなく小型化）が重要視されるようになり、既存技術を開発してきた企業はその違いに気づけずに市場参入が遅れる。さらに、当初は別価値を訴求していた新技術の改良が進み、既存技術が追求していた性能にも到達するようになり、既存技術が対象としていた市場にも進出するため（上の場合は、8インチ・ドライブがメインフレーム市場でも14インチ・ドライブを置換）、既存技術を開発していた企業は撤退を余儀なくされる、というメカニズムである。

　本理論は、技術が単に同一の性能価値をめざして不連続なジャンプを起こすという、S字カーブ理論で描かれた2次元の変化で進化するだけでなく、対象とする市場自体が異なることで、当初は訴求される性能の要件自体が異なり、しかし新市場向けの技術改良が、やがては既存市場で求められる性能要件をも満たすようになるという、市場を加えた3次元のダイナミズムの中で発展していく点がポイントであろう。

整理：サイエンス・ベースド・イノベーションの軌跡

　上で見てきた技術のS字ジャンプや、破壊的イノベーションと持続的イノベーションの関係について、図6（次頁）で整理してみよう。

　前述のカメラの例のように、製品市場のドメインは変わらずに、そのなかで製品の基盤となる技術原理がS字ジャンプする場合、市場を形成する製品自体が置き換わることになる（市場置換型イノベーション）。この場合、既存技

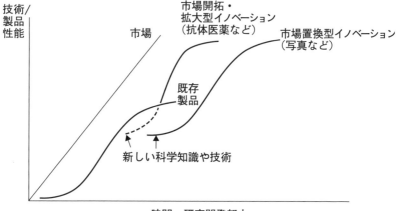

図6　サイエンス・ベースド・イノベーションにおけるＳ字曲線

技術/製品性能

市場

市場開拓・拡大型イノベーション（抗体医薬など）

市場置換型イノベーション（写真など）

既存製品

新しい科学知識や技術

時間・研究開発努力

筆者作成

術・製品で市場リーダーであった企業は、市場そのものを失うこととなり、存続の危機に瀕する場合もあるだろう。これを防ぐには、先端の科学研究や技術開発の動向をいち早く捉え、そこに投資したりすることで、自社製品の基盤となる技術原理自体が変化してしまうリスクに常に備えておくことが重要となる。あるいは、強みをもつ既存技術を、他の製品や市場にも適用するなど、多角化を図って生き残りに備えることも有効だろう。

　イーストマン・コダックは、1975年に最初のデジタルカメラを開発し、写真のデジタル化を予測していたにもかかわらず、デジタル技術の開発やキャッチアップに積極的な手を打てず、結局は市場撤退を余儀なくされた[174]。一方、コニカや富士フイルムは、銀塩フィルムの衰退に伴って、デジタルカメラ開発にも進出した。また、写真事業と比較的親和性のある複写機の領域や、富士フイルムの場合は、フィルム製造に必要な多様な化合物ライブラリーやコラーゲンの微粒子制御技術などを活用して、液晶パネルや化粧品などの異

　174）湯之上（2012）Kodak倒産と富士フイルム躍進　鍵はパラダイムシフトへの対応法　Electronic Journal, 2012 年 6 月号, pp.42-44

分野にも事業を多角化した[175]。

　市場置換型イノベーションの場合は、既存製品の技術原理を転換するような破壊的技術の台頭を予測すれば良いため、比較的対応は取りやすい[176]。一方、既存技術をS字ジャンプさせるような技術革新によって、新たな市場が生まれるとか、既存市場が拡張されていくようなイノベーション（市場開拓・拡大型イノベーション）の場合、未来予測はより難しくなる。低分子化合物が主流だった医薬品産業において、破壊的イノベーションとなった抗体医薬品の例を考えてみよう。

　抗体医薬品は、それまでの低分子医薬品では調節が難しい分子標的（低分子リガンドポケットを有さないような蛋白など）に結合して作用を中和する、癌細胞膜表面の抗原蛋白に結合することで免疫系を活性化して癌細胞を破壊する、など、低分子医薬品では実現が難しかった作用標的や作用メカニズムを狙った創薬を可能にした。すなわち、医療用医薬品市場で、低分子医薬品を置換したわけではなく、むしろこれまで治療が難しかった疾患や作用分子の調節を可能とし、医薬品市場を開拓・拡大したと捉えることができる。また、抗体医薬品に比べて、低分子医薬品は、細胞内の分子を標的にできる、製造コストが安いなどのメリットを有しており、創薬の現場で両者が共存する形となっている。

　一方で、抗体医薬品の市場は大型化し、医療用医薬品で低分子医薬品を凌駕する大型製品が続々登場している現状を考えると、低分子医薬品のみを研究開発してきた製薬企業が、抗体医薬品をやらずに成長を続けることは難しいだろう。こうした市場開拓・拡大型イノベーションの場合には、単純な事

175）金子・久保（2015）急激な環境変化に強いR＆Dプログラムマネジメント　国際P2M学会研究発表大会予稿集, pp.71-87

176）「とはいえコダック社のような例もあるでは無いか」との議論はあろうが、米国では衰退する企業は速やかに市場から撤退すべきとの考え方があり、コダックは投資家の意向を反映しただけで企業経営の失敗ではない、との論調もある（加護野，なぜコダックは破綻し、富士フイルムは好調なのか，PRESIDENT　2012年4月2日号を参照）

業転換や多角化が最適解になるとは限らない。むしろ、既存技術による製品開発と破壊的技術の研究を両立させながら、市場の動向を見て適切なバランスを見極めていくことが大事である。また、新旧技術のシナジーを図れる領域や方策を模索することで、既存技術の強みを引き続き活かせる道を探す、など、高度な技術経営が求められる。実際、従来からの低分子合成の強みと抗体の技術を合体させることで、大型化が期待される画期的医薬品の開発に成功した事例も出てきている[177]。

市場開拓・拡大型イノベーションでは、単に技術進化を予測して新しい技術に乗り換えればよい、あるいは別事業に切り替えればよい、というシンプルなマネジメントだけではなく、技術と市場の動きを丹念に見つつ、既存技術強化と新規技術開発や投資とのバランスや組み合わせなどを、入念にデザインしていく柔軟性と構想力が求められるのである。

4．新市場創出イノベーション

近年、ディープテックという言葉で括られることの多いスタートアップでは、サイエンスを用いて新たなビジネスや産業を創出するタイプのイノベーションをめざす場合がある。この場合は、既存技術の置換や破壊的技術への対処もそうだが、むしろ創出する新市場の概念の妥当性が、イノベーション実現に重要なファクターとなる。技術に基づくイノベーションでも、先行技術と比較して技術的強みはないものの、製品の与える便益のインパクトが成功の理由であったイノベーションというものがある。

古い例でいうと、アップルが開発したiPhoneや音楽配信の仕組みは、IT技術の発達によって可能となったイノベーションであるが、当時として最先端の技術は特に用いられていなかったといわれる。しかし、電話とネット等の多機能を組み合わせた製品思想や、音楽をCD等の媒体でなく配信形式で聴くという新しい様式がユーザに受けて、大きな市場を生み出した。クリー

177）第一三共、「旧型技術」で反攻１年で時価総額倍増　日本経済新聞　2020年１月27日

ンエネルギーのためのバイオ燃料の開発や、合成生物学による有機物の大量製造技術などは、科学的には以前から知られている知識だったり、遺伝子組み換え自体はかねてから行われていたりするが、環境問題への社会的要請が高まったことで、市場のニーズが顕在化し、技術の活用価値が上がった側面がある。もちろん、技術的な進歩もそこには要因としてあり、次世代シーケンサーの発達によってゲノム情報の安価で網羅的な解析が可能となったことや、機械学習によって生産株スクリーニングの高速化や自動化が進んだことなど、技術進化がイノベーションを可能としたことに違いはない。しかし、これまでに解決できていない新たな社会ニーズを見つけ、そこにテクノロジーを充てていくタイプのサイエンス・ベースド・イノベーションが、近年のディープテックと呼ばれるカテゴリーには少なくない。

　こうしたイノベーションでは、技術自体の不連続性といったこと以上に、いかに訴求性の高い社会課題を市場として捉えられるか、といった考え方が重要になる。サイエンス・ベースド・インダストリーの裾野の広がりによって、技術と市場をつなぐ古典的なモデルだけでは、必ずしも説明しきれない事例が増えていることは、よく留意しておく必要がある。

5．ハイプ・サイクル（Hype Cycle）

　コンサルティングファームのガートナーは、新たな技術が出現したとき、その成熟度と市場の期待がどのようなタイムコースで進んでいくかをモデル化し、ハイプ・サイクルと名づけた[178]。図 7（次頁）に示した本モデルによると、革新的な技術が出現すると、その実用化の可能性がまだ証明されない初期段階で、市場から大きな注目を浴びる（黎明期）、その期待は、実用化に先行して過度に高まる（「過度な期待」のピーク期）、しかし実用化に向けた成果は当初の期待ほど上がらず、市場の関心は低下する（幻滅期）。一方、そ

---

178) Fenn J, Raskino M, (2008) Mastering the Hype Cycle: How to Choose the Right Innovation at the Right Time, Harvard Business Press.

図7　ハイプ・サイクルと実際の技術改良推移との関係

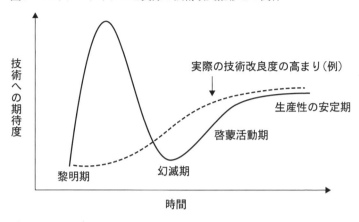

ガートナーHP（https://www.gartner.com/jp/research/methodologies/
gartner-hype-cycle）の図をもとに筆者作成

の間も地道な技術改良と実用化に向けた取り組みは進み、次第に製品化の成
功例が出始めて（啓蒙活動期）、ついには市場で主流的に採用されるようにな
る（生産性の安定期）、という。

　対象とする技術によって、ハイプ・サイクルの形状は異なるといわれてい
るが[179]、革新技術に対する市場の受容性の変化を、本モデルはうまく表現し
ている。例えばクラウド・コンピューティングは、ガートナーによると2008
年に黎明期とされ、2010〜11年は「過度な期待」のピーク期、2012〜17年は
幻滅期、2018年から啓蒙活動期へと進んでいる[180]。2006年に、グーグルCEO
のシュミットが、クラウドコンピューティングという言葉を用いてから、2008
年頃までにプロトタイプのサービスが開発・提供され、市場の期待が高まっ
ていった。しかし、その後思ったほどには市場浸透が進まず、幻滅期となっ

179) Lente H, Spitters C, Peine A, (2013) Comparing technological hype cycles:
　　Towards a theory. Technological Forecasting and Social Change, 80 (8), pp.
　　1615-1628など

180) Gartnerは、様々な先進技術が、このサイクル上のどの位置に来ているかを、毎
　　年独自に分析して発表している。

た。2018年頃から、Amazon Web Services、Microsoft Azure、Google Cloud
Platformといったクラウドサービスを本格導入する企業が増えており、啓
蒙活動期に入った、と位置づけられている。

　ハイプ・サイクルでは、新技術が一時的に市場の熱狂をもって受け入れら
れるが、その後、当初期待されたほどには急速な市場形成には至らず、熱気
の反動として市場の期待が急速に落ち込む時期が続く。この時期に、技術の
応用可能性を正しく見極め、改良のための努力に投資し続けられるかが、そ
の後の技術市場で主導権を取れるかの分かれ目になる。ここで重要なのは、
多くの先進技術は、一度その限界が垣間見えて市場の期待が一気に落ち込ん
でも、その後の地道な技術開発で、汎用製品レベルにまで改良が進むことが
多い、という事実である。すなわち、技術の限界は、人々が通常感じるほど
低くはなく、ダメそうだと思えても、そこから技術者の英知と努力で思った
以上に改良されていく、ということである。一方で、ある技術が一定の市場
を形成する製品群に活用されるレベルまで成熟するには、人々が考えている
よりも長い時間がかかる。

　ものづくり企業は、この感覚を身につけないと、将来化ける可能性のある技
術への投資を途中で打ち切ってしまい、その技術が啓蒙活動期や生産性の安
定期に入ったときに、市場のイニシアチブを失う、という結果に陥りやすい。

　医薬品におけるハイプ・サイクルの事例としては、抗体医薬品は、1990年
代にヒトでの抗原性が課題となり、我が国では多くの製薬企業がその技術開
発からいったん撤退した。しかし、欧米企業の一部は投資を続け、抗体ヒト
化技術が開発されたことで抗原性の課題はクリアされ、大型製品が次々と開
発されて巨大市場を形成するに至った。多くの国内製薬企業は、この流れに
乗り遅れ、2016年度世界医薬品売上上位100品目中に、抗体医薬を中心とし
たバイオ医薬品が34品目ある中で、日本の製薬企業が創製したものはわずか
２品目であった[181]。こうした抗体医薬品での出遅れもあり、2018年度の医薬

181）医薬産業政策研究所　リサーチペーパー・シリーズNo.71
　　http://www.jpma.or.jp/opir/research/rs_071/paper_71.pdf

品貿易収支は2兆3千億円強の赤字となっており、我が国の製薬産業の国際競争力は低下している[182]。

　遺伝子治療製品の歴史もハイプ・サイクルを辿ったといえる[183]。1970年代に遺伝子組み換え技術が開発され、遺伝子を治療用に人体に導入することで病気を治す遺伝子治療法が考案されるようになった。1990年に世界初の遺伝子治療が実施され、市場の期待が大きく高まったが、1999年にアデノウイルスベクターの投与による死亡事故が、2002年に遺伝子治療による白血病の発症が報告され、一気に停滞期を迎えた。こうした重篤な副作用は、当時治療用に用いられていたウイルスベクター[184]が、ゲノム上に挿入される性質のものだったため、挿入場所によっては発癌遺伝子の発現を誘導し、癌を誘発してしまうことによるものだった。しかし、その後、宿主のゲノムに挿入されない形で、長期間に渡って細胞内に保持され、目的遺伝子を発現できるアデノ随伴ウイルスが開発された。これを契機に、安全性の問題がクリアされた遺伝子治療が普及し始め、2012年にアデノ随伴ウイルスを用いた初の遺伝子治療製品が欧州で承認された。その後、日米欧で次々と遺伝子治療製品が医薬品として承認されている。

　これらの事例を見ても、技術の進化を見誤り、幻滅期に技術開発への投資を止めてしまうと、技術が導く新市場で競争力を失ってしまうことになりかねず、危険であることがわかる。一方で、黎明期の技術のすべてが、幻滅期から抜け出して市場形成を始めるとは限らない。このため、技術発達のロードマップを的確に予測する目利き力が、サイエンス・ベースド・イノベーションをめざす企業には求められることになる。一方で、課題を抱えて幻滅期に入った技術に対して、将来どのようなブレークスルーが起こるかを見定め

182）財務省貿易統計　平成30年度分
　　　http://www.customs.go.jp/toukei/latest/index.htm
183）https://www.kantei.go.jp/jp/singi/kenkouiryou/genome/advisory_board/
　　　dai4/siryou4-1.pdfを参照
184）遺伝子の運び屋の意味で、組み換え遺伝子を挿入して細胞内に目的遺伝子を導入・
　　　発現させる媒体となる。

ることは困難でもある。可能性のある技術に小スケールの投資を幅広く実施して、インキュベートしながら様子を見るなど、柔軟な技術投資戦略を取りながら、将来化ける技術を見極めて、新市場でのポジションを確保していくことが重要である。

第 4 部

サイエンス・ベースド・イノベーションと大学

第7章
サイエンス・ベースド・イノベーションを支える
大学研究者

　大学や公的研究機関の研究者の中には、基礎研究だけでなく、その応用に
も貢献する研究者が存在する。こうしたアカデミア研究者は、大学等の科学
技術成果を製品やサービスにつなげるサイエンス・ベースド・イノベーショ
ンには、欠かせない存在である。本章では、サイエンス・ベースド・イノベ
ーションに高い寄与を果たすアカデミア研究者に焦点をあて、その特性や分
類について、事例の紹介も交えながら概説する。

1．パスツール型研究者

　サイエンス・ベースド・イノベーションにおいては、基礎となる科学的発
見や発明をもたらす研究者の能力はもとより、その科学的知見を製品等の開
発に応用する研究者の能力がないと、サイエンスがイノベーションに転化さ
れない。こうした基礎研究と応用研究の能力の有無によって、研究者のタイ
プを類別したのがストークスである。ストークスは、基礎科学の研究者のな
かには、基礎研究成果が内包する応用可能性を認識し、製品等への応用目的
を合わせ持ちながら基礎研究を行う研究者がいることを指摘し、パスツール
型研究者と名づけた[185]。

　パスツールは、19世紀の著名な細菌学者であり、発酵が酵母によることの
発見や、微生物が病原体となりうること、弱毒化した微生物を摂取すること
で免疫ができることなど、微生物学で先駆的な基礎研究成果をあげた。一方

---

185) Stokes DE, (1997) Pasteur's Quadrant, Brookings Institution Press

図8　パスツール象限

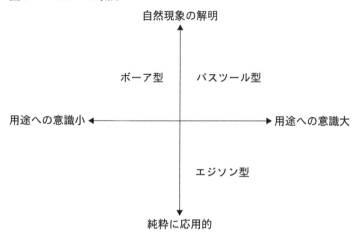

で、その基礎的発見を、実用にも応用し、微生物を低温で殺菌することでワインの腐敗を防ぐ低温殺菌法を開発したり、狂犬病ワクチンを開発して多くの人命を救ったりした。ストークスは、科学の基礎研究には、自然現象の解明をめざした純粋基礎研究だけでなく、用途を意識して行われる目的基礎研究があると指摘し、基礎と用途の両方を見据えて研究を行う研究者を、上述のパスツールにちなんで、パスツール型研究者、と呼んだのである。一方、応用目的を志向せず、自然現象の解明という純粋な科学基礎研究の目的を追究した研究者を、原子モデルを研究し量子力学の礎を築いた物理学者ボーアにちなんで、ボーア型研究者、と呼んだ。

　反対に、蓄音機や電話、電球フィラメントなど多くの発明や商品化に貢献した発明王のエジソンは、サイエンスへの造詣は薄かったことが知られており、純粋に応用を志向した研究を行う研究者を、エジソン型研究者、と呼んだ。ストークスは、基礎研究と応用研究への志向性を2軸にとった象限内に、各研究者の類型を配置し、これをパスツール象限と呼んだ（図8）。

パスツール型研究者の実例

　日本におけるパスツール型研究者の実証研究として、光触媒研究を対象と

した事例研究があげられる[186]。酸化チタンに光を照射することで水が水素と酸素に分解される現象が発見され、1972年にNature誌に発表された。この現象は、発見者の名をとって「本多・藤嶋効果」と呼ばれ、その後の酸化チタンの光触媒としての産業応用に大きな道筋をつけることとなった[187]。1989年に橋本が藤嶋研究室に講師として着任し、酸化チタンの薄膜を素材表面にコーティングして、光を当てることで発生する活性酸素を用いて汚れの原因菌を分解することを考えついた。藤嶋・橋本氏は、東陶機器（現在のTOTO）と共同研究を開始し、酸化チタンの薄膜が超親水性現象を示すことを発見して、東陶機器はその産業応用の可能性の高さに着目し、共同研究で製品開発を進めた。その過程で、関連特許が約600件出願され、産業界に大きなインパクトを与えたという[188]。酸化チタン光触媒は、トイレを皮切りに、大型建物の屋根やガラスのコーティングなどにも使われていった。また、2007年から橋本教授（当時）を中心に関連企業が参加して新エネルギー・産業技術総合開発機構（NEDO）プロジェクトが行われ、酸化チタンの表面に鉄や銅イオンからなる助触媒を付着させて、従来の10倍以上の反応効率をもつ光触媒の開発と産業応用に成功した[189]。

　この光触媒の分野における研究者を、論文の被引用数を基礎研究、特許数を応用研究の指標として、ボーア型（基礎研究成果のみで上位25％に入っている）、パスツール型（基礎研究と応用研究成果の両方で上位25％に入っている）、エジソン型（応用研究成果のみで上位25％に入っている）研究者に分類し、国内の光触媒関連企業455社との連携を調べたところ、パスツール型研究者との連携が、企業の研究開発生産性を高めることが明らかとなっている[190]。主

186）馬場・後藤（2007）産学連携の実証研究，東京大学出版会
187）東京大学HP　https://www.u-tokyo.ac.jp/focus/ja/features/f_00057.html
188）馬場・後藤（2007）産学連携の実証研究，東京大学出版会
189）東京大学HP　https://www.u-tokyo.ac.jp/focus/ja/features/f_00057.html
190）Baba Y, Shichijo N, Sedita SR, (2009) How do collaborations with universities affect firms' innovative performance? The role of "Pasteur scientists" in the advanced materials field. Research Policy, 38 (5), pp.756-764.

にバイオ分野での分析では、基礎研究に高い成果を上げるスター・サイエン
ティスト（次項で詳述する）との連携が、企業の研究開発に効果的との報告が
多いが、この研究では、光触媒分野において基礎研究のみに強いボーア型研
究者との連携は、企業の研究開発生産性に正の影響を及ぼさず、産業分野の
違いによって、産学連携に役割を果たす大学研究者像が異なる可能性が示唆
されている。

2. スター・サイエンティスト

　卓越した研究成果を上げ、高頻度で引用されるインパクトの大きい論文を
多く発表しているトップ研究者のなかには、学術的に大きな成果を残すだけ
でなく、特許出願やベンチャー設立等を通じて、イノベーションにも高い貢
献を果たす研究者が存在し、スター・サイエンティストと呼ばれてきた[191]。
この概念によるスター・サイエンティストという用語を最初に使ったのは、
カリフォルニア大学ロサンゼルス校のズッカーとダービーである。ご夫妻で
もある2人は、スター・サイエンティスト研究で先駆的な研究成果を収めた
パイオニアであり、その後のスター・サイエンティスト研究の広がりの礎を
築いた。
　ズッカーとダービーの初期の研究では、スター・サイエンティストとして
バイオテクノロジー分野の研究者を対象とし、遺伝子配列を登録する公共デ
ータベースであるGenBankに新規の遺伝子配列を40回以上登録したか、新
たな遺伝子配列を発見して報告した論文を20報以上発表している研究者をス
ターと定義した[192]。その後の関連研究においては、論文数や論文の被引用回

---

191) Zucker LG, Darby MR, Armstrong JS, (2002) Commercializing Knowledge:
University Science, Knowledge Capture, and Firm Performance in Biotechnology.
Management Science, 48 (1), pp.138-153.

192) Zucker LG, Darby MR, (1996) Star scientists and institutional transformation:
Patterns of invention and innovation in the formation of the biotechnology
industry. Proc. Natl. Acad. Sci. USA, 93, pp.12709-12716.

数など、より広義な基準が用いられることが多く、理論の一般化を試みる傾向が見られる。しかし、スター・サイエンティストの定義は研究によってまちまちであり、上述のような学術的インパクトのみを指標にスターを定義している報告もあれば、特許やベンチャー起業などの商業的成果を併せもつ研究者として定義している報告もある[193]。

　パスツール型研究者の項で説明したように、高い学術的成果を上げた研究者がすべて、産業応用にも大きな貢献をするわけではない。しかし、これらの先行研究は、先端的な科学研究成果が、その成果をもたらした生産性の高いアカデミア研究者を介して、産業にも活用されるという、科学と商業化の好循環があることを明確に示した。この循環は、特に米国と日本で顕著であり、バイオ分野では、両国の35％のスター・サイエンティストが、自身の発明や発見を商業化するために企業と連携している[194]。

スター・サイエンティストの産業との関わり

　スター・サイエンティストと産業との関わり方は、日本と米国でやや違いが見られる。日本では、企業研究者がスター研究者の研究室に派遣されて一緒に研究を行うことで、スター・サイエンティストの暗黙知が企業研究者へ移転される場合が多く、一方で米国では、大学研究者が企業に移籍して研究を行ったり、大学と企業の研究ヘッドを兼任したりする例が多い[195]。

　日本では、大学発ベンチャーがいまだに未成熟であることもあり、スター・サイエンティストが既存企業と共同して自らの研究成果の商業化を図る事例が一般的である。山形大学の城戸教授は、世界初の白色有機EL（エレクトロルミネッセンス）を発明した有機ELの世界的権威であり、被引用数が世界で

193）安田（2019）スター・サイエンティスト研究の潮流と現代的意味, 研究技術計画, 34（2）, pp.100-115

194）Zucker LG, Darby MR,（2007）Virtuous circles in science and commerce. Papers in Regional Science, 86（3）, pp.445-470.

195）Zucker LG,（2019）How basic scientific breakthroughs are rapidly accessed by companies; U.S. & Japan. 研究技術計画, 34（2）, pp.94-96

トップ１％に入る高被引用論文[196]を多数発表している文句なしのスター・サイエンティストである[197]。城戸は、三菱重工、ローム、凸版印刷、三井物産と共同して、有機ELパネルを製造販売するルミオテックを創業し、自ら開発した技術の商業化を行った[198]。東京工業大学の細野教授は、材料科学分野の著名な研究者であり、論文の被引用回数が各分野の上位0.1％にランクする研究者のなかで、特にハイインパクト論文を有することから、2013年にトムソン・ロイターより引用栄誉賞に選ばれたほどのスター・サイエンティストである[199]。細野は、アモルファス（非結晶）酸化物半導体を活性層とする薄型トランジスタを発明し、当時盛んに研究されていたアモルファスシリコンより10倍以上の電子移動度が得られることを2004年にNature誌に発表した。この技術は、IGZOの名で知られ、細野教授の研究を支援した国立研究開発法人科学技術振興機構（JST）が基本特許を含む一連の技術特許を保有する形でシャープやサムスンなどにライセンスされ、液晶パネルの製造に用いられた[200]。ズッカーとダービーを始めとしたスター・サイエンティスト研究の多くで題材とされるバイオ分野においても、我が国のスター・サイエンティストが商業化に貢献した例が多い。第６章でふれた本庶教授や、第11章で事例を紹介する岸本教授は、いずれも日本を代表する免疫学の世界的権威であるが、それぞれ小野薬品/メダレックス、中外製薬と共同で、自らの基礎研究で発見した分子を創薬標的とした革新的新薬の創製に成功している。

一方、米国では、既存企業との連携以外に、大学による技術移転や、ベンチャー企業の創業などによってもスター・サイエンティストの研究成果の商

196）学術論文が他の論文に引用される回数が多いほど、その論文の当該分野への科学的インパクトが高いと考えられ、被引用回数の多い論文を発表する研究者はその分野のトップ研究者と考えられる。クラリベイト・アナリティクスは、高被引用論文を毎年分析し、高被引用論文の発表が多い研究機関や研究者を毎年発表している。

197）山形大学HP　https://yucoi.yz.yamagata-u.ac.jp/view.cgi?p=2171

198）三菱重工HP　https://www.mhi.com/jp/news/story/080528.html

199）東京工業大学HP　https://www.titech.ac.jp/research/stories/thomson2013.html

200）JST HP　https://www.jst.go.jp/osirase/20130515.html

業化が図られてきた。第6章で取り上げたコーエン–ボイヤー特許は、コーエンとボイヤーという2人の遺伝子工学研究者が、遺伝子組み換え技術を発明し、その特許をスタンフォード大学がライセンス供与することで多額のライセンス収入を大学側にもたらした事例であった。ボイヤーは、投資家のスワンソンとともに、本技術をもとにジェネンテックを設立し、その後ジェネンテックは遺伝子組み換えインスリンを皮切りに多くのバイオ医薬品を生み出す一大企業に成長した。コーエンとボイヤーは、ともにアルバート・ラスカー医学研究賞[201]をはじめとした多くの医学賞を受賞したトップ研究者であり、遺伝子工学の誕生と発展に大きく寄与したが、遺伝子組み換え技術の商業化にも大きな貢献をしたのである。RNAスプライシング[202]を発見し、1993年にノーベル生理学・医学賞を受賞したシャープは、バイオ医薬品を手掛ける最古参の製薬企業の一つであるバイオジェンや、RNA干渉の原理を応用した核酸医薬品を手掛けるバイオベンチャーであるアルナイラムを創業している。DNAの塩基配列決定法であるマクサム・ギルバート法を開発し、ノーベル化学賞を受賞したギルバートは、バイオジェンの共同設立者の1人であるとともに、分子診断薬などを手掛けるミリアド・ジェネティックスなど数社の起業に関わっている。

　ズッカーとダービーの前述の一連の研究によると、スター・サイエンティストは、まず自らの成果について同じ研究機関内で共同研究を行うことで発展させ、その後企業研究者との共著論文が増えだし、その企業の製品化に正の影響を与えるようになるという。成果の共有と発展には、スター・サイエンティストからの暗黙知の移転が重要であり、前述のように、スター・サイエンティストが企業と公的研究機関を行き来したり、企業がスターの研究室に研究員を派遣したりすることで、移転が行われる。したがって、スター・

201）アメリカ医学界で最高の章とされ、受賞後にノーベル賞を受賞する研究者が多いことでも知られる権威ある医学賞。

202）DNAから転写されたRNA前駆体から、イントロン部分が切断されることで蛋白をコードするmRNAが作られる現象のこと。

サイエンティストの商業化への貢献には、人の移動が重要となる。実際、スター・サイエンティストの半数が母国以外での研究歴を有すること[203]や、スターはそれ以外の研究者より頻繁に研究の場を変えている[204]ことが報告されている。

　日本でも古くは産と学を股に掛けて活躍するトップ研究者たちがいて、産業に大きな貢献をしてきたが（第9章参照）、現在は、産学間の人材流動性は米国等に比較して明らかに低い。そのなかで、企業が研究員を留学や派遣研究などの形でスター・サイエンティストの研究室に派遣し、一緒に研究を行う機会を維持していることには、一定の意味があるといえる。また、企業にもスター・サイエンティストが存在する。国内製薬企業を対象とした研究から、論文の出版数と引用率がきわめて高い企業研究者たちが存在し、そうした企業のスター・サイエンティストは、同僚の特許出願数を増加させることが報告されている[205]。すなわち、企業に、基礎研究できわめて優れた研究者がいると、その人が学術界とのパイプになって周囲の研究者たちのサイエンスレベルが上がり、応用研究の生産性を高めている、と考察されている。

スター・サイエンティストがイノベーションに果たす役割：その類型

　前項でみたように、スター・サイエンティストが産業に貢献する関わり方には、様々なパターンがあり、一律ではない。筆者は、医薬品産業において、スター・サイエンティストが新規医薬品の創製に大きな寄与を果たした事例を分析し、スター・サイエンティストの産業への関わりには少なくとも3つの類型があることを見いだした。それぞれ「パスツール型」「橋渡し型」「エコシステム型」と名づけた各類型について、以下具体的な事例を紹介しながら

203) Trippl M, (2013) Scientific Mobility and Knowledge Transfer at the Interregional and Intraregional Level. Regional Studies, 47 (10), pp.1653-1667.
204) Zacchia P, (2018) Benefiting colleagues but not the city: Localized effects from the relocation of superstar inventors. Research Policy, 47 (5), pp.992-1005.
205) Furukawa R, Goto A, (2006) The role of corporate scientists in innovation. Research Policy, 35 (1), pp.24-36.

説明する[206]。

①パスツール型

　パスツール型研究者が革新的新薬創製に大きな役割を果たした事例として、ここではヒト型抗ヒトPD-1モノクローナル抗体「ニボルマブ（商品名：オプジーボ）」を取り上げる。

　ニボルマブは、programmed cell death 1（PD-1）蛋白の機能を阻害する抗癌剤で、免疫チェックポイント阻害剤と呼ばれる新しいメカニズムの薬剤として市場に登場した。これは、癌細胞が自己免疫の攻撃を逃れている機序（免疫チェックポイント）を抑制することで、自己の免疫機能を利用して癌を排除する。臨床試験で複数の癌腫に画期的な効果を示し、革新的新薬としてブロックバスター薬となった。免疫チェックポイント阻害剤の研究開発は、2018年度ノーベル医学・生理学賞の対象となったため、ご存じの読者も多いだろう。

　PD-1を同定したのは京都大学の本庶教授のグループである。PD-1は、1990年代初期に、T細胞の細胞死の際に発現が増加する因子として見いだされた。PD-1を欠損したマウスが自己免疫疾患症状を示すことがわかり、共同研究先の研究成果もあって、PD-1 は PD-L1という分子と結合して免疫の働きを抑制することが明らかとなった。PD-L1は癌細胞にも発現しており、本庶らは、癌細胞が、PD-1-PD-L1シグナルを介してキラーT細胞の攻撃から逃れていて、PD-1の作用を抗体等で阻害すればそのブレーキが解除されて癌を排除できるのではないか、と考えた[207]。動物実験でその可能性を証明したのち、本庶は小野薬品に働きかけ、PD-1を介した免疫抑制シグナルを阻害して、免疫応答を活性化させることで癌の治療を行う用途特許を共同出

206）本内容は、奥山（2019）企業側からみたスター・サイエンティストとの協働と可能性：医薬品産業のケース, 研究技術計画, 34（2）, pp.129-138から纏め直したものである。

207）本庶（2013）ゲノムが語る生命像, 講談社, p.173

願した[208]。その後、PD-1を抑制する抗体医薬を創製するため、独自の抗体作製技術を有する米国メダレックス社と提携し、ニボルマブを作製した。2006年より開始された臨床試験で、ニボルマブは画期的な抗癌作用を示し、新薬承認を取得した。

　本事例では、イノベーションの源泉となったPD-1分子と免疫チェックポイント機構の発見が本庶らのグループで成されただけではなく、PD-1を阻害して抗癌剤に応用しようという発想や、実際に製薬企業に働きかけてPD-1阻害抗体を創製する研究まで、本庶がリーダーシップを発揮して行っている。本庶は、免疫が自己と非自己を見分ける機構を長年研究し、卓越した研究成果を上げてきた免疫学のトップ研究者である。本事例では、本庶というスター・サイエンティストが、基礎研究だけでなく、その創薬応用にも慧眼を発揮して、画期的な抗癌剤の開発まで主導していた。まさに、基礎と応用の両方に能力を発揮するパスツール型研究者がイノベーションを実現させたケースといえよう。

②橋渡し型

　本項では、第11章で紹介する抗ヒトInterleukin-6（IL-6）受容体抗体トシリズマブ（商品名：アクテムラ）の事例を取り上げる。企業研究者が貢献した事例部分の詳細は第11章に譲るが、ここではスター・サイエンティストの役割について中心に述べる。1970年代に、免疫を司るT細胞がサイトカインと呼ばれる液性因子を放出し、免疫反応を惹起することがわかってきて、免疫学研究者たちは、サイトカイン分子の同定にしのぎを削っていた。大阪大学の岸本教授のグループは、T細胞が放出するサイトカインのうち、B細胞に働いてその分化を誘導する因子の同定に取り組み、世界に先駆けてIL-6をクローニングした。また、彼らは心房内粘液腫で本因子が過剰産生されており、それによって自己免疫疾患様症状が発現することまで見いだしていた[209]。

208）WO2004/004771号

209）岸本・中嶋（2007）現代免疫物語, 講談社, p.206

　しかし、IL-6作用の阻害を、自己免疫疾患治療薬へと結びつけるのに、主導的な役割を果たしたのは、第11章に詳述するとおり、中外製薬の研究者であった大杉博士であった。大杉は、長年自己免疫疾患の創薬研究を続けるなかで、B細胞の過剰な活性化が自己免疫疾患の原因になることを摑んでいた。学会でIL-6の発表を聞いた大杉は、その作用の抑制が自己免疫疾患治療薬になると考え、岸本に共同研究を申し込んだ。両者の共同研究から、IL-6のシグナルを抑制する抗IL-6受容体抗体が作成された。本抗体を臨床応用できる抗体に改変するため、当時英国MRC研究所で開発されたばかりの抗体ヒト化技術が適用された。ヒト蛋白に対する抗体は、ヒト以外の動物種しかつくらないが、抗体自体が蛋白であるため、これをそのままヒトに投与しても、ヒトの免疫システムで排除されてしまう。これを克服し、抗体をヒトで働く医薬品にすることを可能にしたのが、抗体ヒト化技術であり、本技術を開発したのが、ウィンター博士である[210]。大杉ら中外製薬の研究者たちは、ウィンターらと共同研究を行って、ヒトに投与可能な抗ヒトIL-6受容体抗体のトシリズマブをつくり上げた。

　このように、IL-6の発見や作用の解明といった基礎研究、抗体ヒト化技術の発明といった先端技術の開発は、免疫学の分野では世界のトップ研究者の１人である岸本や、抗体ヒト化技術でノーベル賞を受賞したウィンターといったスター・サイエンティストたちが行っていたが、それらの基礎研究成果を活用して、創薬応用を主導したのは、企業研究者であった大杉だった。IL-6の同定で中心的な役割を担った岸本研の平野博士は、当時はIL-6が自己免疫疾患の要因になるとは確信できなかった、と述べており[211]、IL-6阻害の創薬応用が大杉の慧眼によってもたらされたことは間違いない。

　ボーア型研究者の概念を振り返るまでもなく、先進的な基礎研究成果を上げた研究者自身が、必ずしもその応用可能性を見いだせるとは限らない。ト

210）ウィンター博士は本技術開発で2018年度のノーベル化学賞を受賞している。

211）平野（2010）インターロイキン-6ハンティング, 日本インターフェロン・サイトカイン学会編, サイトカインハンティング, 京都大学学術出版会, p.158

シリズマブの事例では、スター・サイエンティストの基礎研究成果を、正しくイノベーションへと橋渡しできた応用研究者の介在があったからこそ、サイエンスがイノベーションに結びついたといえる。サイエンス・ベースド・イノベーションでは、サイエンスとイノベーションのギャップを近づける bridging scientistが重要な役割を果たす、との考え方があり[212]、大杉はこのbridging scientistの典型例といえるかもしれない。

③エコシステム型

　サイエンス・ベースド・イノベーションでは、複数のスター・サイエンティストと、産や官のステークホルダーたちが有機的に連携することでイノベーションが実現される例がある。ここでは、ヒト（自己）骨格筋由来細胞シート「ハートシート」の例を取り上げる。

　東京女子医大の岡野教授は、温度感受性ポリマー上で細胞を培養し、細胞に障害を与えない小さな温度変化で細胞をシート上に剥離できる細胞シートの技術を発明した。これにより、培養細胞を損傷なくシート状にして、生体組織へ付着させることが可能になった[213]。岡野らは、この技術を用いて、動物の心臓から採取した細胞を培養して心筋細胞シートを作成し、積層化させることで自律拍動する心筋様組織を構築することに成功した。

　一方、心臓外科医である大阪大学の澤教授は、本技術を用いて心臓病治療を行うことを考え、岡野と共同研究を行った。澤のグループは、患者の骨格筋より採取した筋芽細胞を培養して作成した心筋細胞シートを、重症心不全患者に適用する臨床研究を行い、補助人工心臓装着下の心臓移植待機患者や、重症心疾患患者で有効な成績を示した。この共同研究にはテルモも参画し、臨床試験対応レベルでの安全性試験や細胞シートの製造・品質管理技術を担

212) Gittelman M, Kogut B, (2003) Does good science lead to valuable knowledge? Biotechnology firms and the evolutionary logic of citation patterns. Management Science, 49 (4), pp.366-382.
213) 坂井・岡野 (2013) 日本発・世界初の「細胞シート工学」技術による再生医療, 特技懇, 271, p.44

当した[214]。本臨床研究は、新エネルギー・産業技術総合開発機構（NEDO）のプロジェクトとして実施され[215]、2008〜13年には、先端医療開発特区の「細胞シートによる再生医療実現プロジェクト」にも採択された[216]。

　こうして開発されたヒト（自己）骨格筋由来細胞シート「ハートシート」は、2015年に再生医療等製品として製造販売承認を取得した。我が国では、2014年に施行された医薬品医療機器等法によって、再生医療等製品を条件付き早期承認する仕組みが導入されており、ハートシートはこの適用第 1 号となった[217]。薬物療法で効果がない重症心不全患者には大きな医療ニーズがあり、ハートシートは新たな治療選択肢として期待されている。

　岡野は、紫綬褒章などの受賞歴を有する再生医療工学の著名研究者であり、澤は、文部科学大臣科学技術賞や厚生労働大臣賞など多数の賞を受賞している再生医学界のトップ研究者である。ハートシートの事例では、こうしたスター・サイエンティストたちの先駆的な科学研究と技術開発、企業の医療品開発のノウハウや専門性が、分野を超えて融合することで、ひとつのイノベーションが実現していた。その実践には、公的資金の支援があり、産学官が一体となってアカデミア技術の実用化が進められた例といえる。このように、複数のスター・サイエンティストの貢献に、産や官からの技術的、資金的支援が加わることで、必要な資源やケーパビリティが集積してイノベーションが生まれており、エコシステム型とも呼ぶべき類型といえる。

　以上の 3 事例によるスター・サイエンティストのイノベーションへの関わり方の類型は、表 2 （次頁）に整理した。いずれの事例でも、スター・サイエンティストの科学的成果は、サイエンス・ベースド・イノベーションに大きな役割を果たしたが、スター・サイエンティストの業績がどうイノベーシ

214）厚生労働省HP　https://www8.cao.go.jp/cstp/sangakukan/sangakukan2016/5_kourou.pdf
215）NEDO HP　http://www.nedo.go.jp/activities/ZZ_00248.html
216）https://www8.cao.go.jp/cstp/project/tokku/hokoku/hokoku6.pdf
217）テルモHP　www.terumo.co.jp/archive/ar_j/AnnualReport_2016_J.pdf

表2　スター・サイエンティストの類型

事　例	スターの基礎研究業績がイノベーションに繋がったメカニズム	メカニズムのタイプ（筆者命名）
ニボルマブ	基礎研究としてPD-1を発見した本庶教授自身が、癌免疫療法としての創薬応用ポテンシャルを見抜き、画期的な癌治療薬の創製を導いた	パスツール型
トシリズマブ	中外製薬大杉博士が長年の自己免疫疾患治療薬研究で培った慧眼から、IL-6阻害の創薬応用ポテンシャルを見出し、画期的な自己免疫疾患治療薬の創製に繋げた	橋渡し型
ヒト（自己）骨格筋由来細胞シート	分野が異なる複数のプレーヤーの知識や技術（岡野教授の温度感受性ポリマーの技術、澤教授の心筋細胞シートの開発、テルモの医療品臨床開発の専門性やノウハウ）が融合して創薬応用が実現した 公的資金の支援や法整備が製品化を後押しした	エコシステム型

ョンに活用されたかのパスは、事例によって様々であった。これは、スター・サイエンティストの研究がイノベーションにつながるには、スター自身の気質や志向性、応用可能性への目利きを有する企業人材の存在、アカデミア研究成果の商業化を後押しする政策的打ち手や、それをうまく使いこなす研究者や企業の能力、ステークホルダー間の関係性など、多くのファクターが影響することを意味する。

　すなわち、単にスター・サイエンティストと連携する、スター・サイエンティストを支援する、だけでイノベーションが生まれるわけではなく、スター・サイエンティストのタイプやプロジェクトの特徴などに応じて、企業は適切な連携の仕方を模索する必要がある。また、イノベーション創出を支援する官の役割も重要であろう。それぞれのケースごとに、産学官の関わり方に最適解を模索しながらアプローチしていくことが求められるのである。

第8章
大学知の商業化

　元来、大学の役割とは、研究と教育であった。基礎研究を通じて、新しい現象や科学知識を生み出すことや、先進的な技術を開発することが、大学における研究の役割であった。また、授業や実習等を通じて、学生に学問的知識や技能を身につけさせ、学習能力を有した人材を産業や社会に輩出するのが、教育機関としての役割である。

　第2次世界大戦直後のブッシュによるリニアモデルの提唱（第6章参照）から、大学で生み出されるサイエンスが、産業を導くとの概念が定着し始め、大学の研究がもたらす科学知が商業化の対象としても認識されるようになった。その後、米国では、1970年代になって、大学研究者の発明が特許化され、企業にライセンスされることによって大学に多額の特許収入をもたらす例が出始めた。これによって、大学側が、技術移転によって研究者の科学的成果を直接的に商業化する、というパスが注目されるようになり、それを後押しする政策的変化や、大学側の組織変化が起こっていった。これは米国で始まり、我が国では20年ほど遅れてその動きが活発化した。本章では、こうした大学知の商業化に焦点をあて、歴史的背景や、関連する法律、最近の我が国での動きなどを解説する。

1．大学発技術移転の成功例

　大学発技術の商業ポテンシャルが注目を浴びる原因となったのは、本書でも何度かふれた遺伝子組み換え特許の技術移転の成功例が大きい。コーエンとボイヤーという2人の遺伝子工学の大学研究者によって、大腸菌を用いた

遺伝子組み換え技術が開発され、それをスタンフォード大学の技術移転機関（TLO）がライセンス供与を行って、約300億円という多額のライセンス収入を得た例である。

　スタンフォード大学の特許収入の実例としては、グーグルの検索エンジンの基盤技術に関するものも有名である。グーグル創業者の1人であるペイジは、スタンフォード大学の大学院博士課程在学中に、ウェブページの重要度を決めるアルゴリズムを開発した。ページランクと呼ばれるこの技術は、スタンフォード大学が特許を取得しており、これがグーグルにライセンス供与される形で提供され、大学側に多額のライセンス収入をもたらした。

　英国では、MRC分子生物学研究所で現在は所長を務めるウィンターによる抗体関連技術特許が有名である。ウィンターは、ヒト以外から得られたヒト蛋白に対する抗体を、抗体自身の免疫原性を下げるため、1次配列の一部をヒトのものに置き換えるという抗体ヒト化技術を開発した。これによって、ヒト蛋白に対して齧歯類等でつくらせた抗体を改変し、ヒトの免疫応答を回避する形で治療用抗体としてヒトに投与することが可能になった。抗体医薬品の臨床応用を可能とした画期的な技術で、市販されている抗体医薬の多くにこの技術が活用されている。また、抗原蛋白をバクテリオファージに発現させ、抗体遺伝子ライブラリーを用いたスクリーニングから標的抗原に親和性を有する抗体を探索できるファージディスプレイ法も開発し、これは治療用抗体候補探索のプラットフォーム技術となっている。ウィンターは、こうした抗体関連技術を、MRC研究所として特許を取得したり、技術をもとにベンチャー企業を立ち上げ、それを大手製薬企業に売却することでMRCに大きなキャピタルゲインをもたらしたりしている。

2．大学知の商業化を促進する政策的動き

バイ・ドール法

　大学の研究成果には、商業化のポテンシャルを有するものがある一方で、大学が活用する研究予算の多くは公的資金である。税金で成された研究であ

る以上は、成果は皆のものであり、特定のヒトや企業の利益に使われるべきではない、という理屈が成り立つ。このため、かつて米国では（ケースバイケースではあったが）原則的に大学の研究成果に基づいて取得された特許は国有であり、日本でも国有とされていた。しかし、それでは大学が自身の研究成果を商業化しようというモチベーションが働きにくく、大学知の商業化が促進されない。そこで、米国では、大学が政府資金で実施した研究成果を特許として保有し、それを排他的にライセンスしてよいこと、また特許による収入を大学のものとしてよいこと、が定められた。これが、1980年に成立したバイ・ドール法である[218]。

　バイ・ドール法の施行により、米国では、それまでも一部の研究大学は産学連携に積極的であったが（スタンフォード大学やMITなど）、それ以外の大学も積極的に産学連携を行うようになった。また、大学がTLOを設け、大学教員が特許化の可能性がある研究成果をTLOに報告し、大学が知財化を進める動きが活発化した。調査データでも、バイ・ドール法以降、米国の大学による特許取得件数が増加傾向にあること、TLO設置大学数が1972年の30校から1997年には275校まで増加したこと、大学等によるライセンス件数とライセンス収入が増加傾向にあること、が報告されている[219]。一方、カリフォルニア大学やスタンフォード大学は、バイ・ドール法以前から特許出願やライセンスを活発に行っており[220]、バイ・ドール法施行以後、特許数は増加しているものの、バイオメディカル研究の成長で商業化に結びつきやすい研究成果が増えた影響が大きく、法改正の影響は余り大きくなかったとの指摘もある[221]。

218）法律を提案した二人の上院議員の名前をとって、バイ・ドール法と呼ばれている。

219）洪（2019）米国バイ・ドール法28年の功罪 新たな産学連携モデルの模索, 産学官連携ジャーナル, 2009年1月号

220）バイ・ドール法以前の大学特許取得は省庁によって方針が異なり、ケースバイケースで判断されており、大学が特許を取得することが必ずしも禁じられていたわけではない。

221）Mowery DC, Nelson RR, Sampat BN, Ziedonis AA, (2001) The growth of patenting and licensing by US universities: an assessment of the effects of the Bayh-Dole act of 1980. Research Policy, 30 (1), pp.99-119.

TLO法、日本版バイ・ドール法、大学独立行政法人化

　米国におけるバイ・ドール法の制定から20年程度遅れて、我が国でも、大学の研究成果を積極的に産業に生かそう、とする法整備が行われた。1998年には、大学の成果を特許化して企業への技術移転を促進する目的で、各大学におけるTLOの設立を政策的に支援する「大学等技術移転促進法」が制定された。続いて、1999年には、大学等公的研究機関で実施される国の委託研究開発に関して、開発者となる大学等研究者のインセンティブを増して、公的資金で実施された研究開発の普及を促進する目的で、研究開発から生じた知的財産権とそこから得られる利益を大学等研究者に帰属させることが定められた。これは、米国のバイ・ドール法を参考に設計されたため、日本版バイ・ドール制度（正式名称は産業活力再生特別措置法第30条）と呼ばれた。本制度は、その後特別措置法から恒久法に移管された。

　このように、大学の知財制度は整備されたが、知的財産権は原則個人に帰属するため、国立大学は法人格を有さないと、大学で生じた発明の権利を大学に帰属させることが難しい、という課題があった。このため、2003年に国立大学法人法が制定され、2004年には全国の国立大学が大学ごとに法人化され、89の大学法人が設立された。これは、知財の帰属のみならず、大学の経営の効率化や外部競争力の強化といった目的があり、予算や組織に関するより高い自由度が大学に与えられた一方、大学ごとに工夫して、教育と研究の水準を高めることが求められることとなった。

　日本版バイ・ドール制度の導入から約20年が過ぎたが、米国と比較して、日本の大学のライセンス収入はまだまだ少ない。米国の大学の知的財産権収入は、2017年度で総額3,219億円であるが、日本の大学の収入は43億円であり、２桁の違いがある[222]。

　一方、新規ライセンス件数や特許出願件数、TLOのスタッフ数などは、米国の1/2～1/3程度であり、日本の大学はライセンス活動の運営手法等に課題

222）文部科学省　科学技術・学術政策研究所, 科学技術指標2019
　　 https://www.nistep.go.jp/sti_indicator/2019/RM283_55.html

があるとの指摘もある[223]。米国であっても、高額なライセンス収入を獲得しているのは上位の一部の大学だけであり、巨額のライセンス収入をもたらす少数の特許がそれに貢献しているのが実情で、大学の知的財産をビジネスの軌道にのせるのは、難しいのである。

3．大学の応用研究の質

　ここで、大学の商業化研究の質、という問題について述べる。大学研究の商業化に伴って、主に基礎研究の場である大学が、応用研究としてレベルの高い研究を十分にできるのか、といった疑問が生じてきた。この問いに、大学から出される特許の質を測定することで、検証しようという研究がされてきた。ヘンダーソンらは、1965年～1988年に出された大学発の特許を分析したところ、1980年代中頃より前の時期のほうが、大学特許はより多く引用されており、かつより広範な特許に引用されていたと報告した。このことより、バイ・ドール法施行後に、大学特許の数は増えたものの、重要性の高い特許は減っていると指摘した[224]。

　一方、ヘンダーソンらの報告は測定法によってそういう結果になっているのであり、大学特許の引用数全体の低下を反映したものでないとの指摘がある[225]。また、産学連携を活発に行ってきたカリフォルニア大学とスタンフォード大学の大学特許を分析すると、1980年以降も特許の重要性と汎用性は低下していない、との報告もある[226]。このように、バイ・ドール法によって増

223) 久保（2017）日米大学ライセンス収入の差とその対応 Japio Year Book 2017 pp.124-129

224) Henderson R, Jaffe AB, Trajtenberg M, (1998) Universities as a source of commercial technology: a detailed analysis of university patenting, 1965-1988. Review of Economics and Statistics, 80 (1), pp.119-127.

225) Sampat BN, Mowery DC, Ziedonis AA, (2003) Changes in university patent quality after the Bayh-Dole act: a re-examination. International Journal of Industrial Organization, 21 (9), pp.1371-1390.

226) Mowery DC, Ziedonis AA, (2002) Academic patent quality and quantity before and after the Bayh-Dole act in the United States. Research Policy, 31 (3), pp.399-418.

加した大学特許の質については議論があり、結論は出ていないが、元来は基礎研究を主に実施する大学等公的研究機関が、商業化をめざした研究を行うことで、企業よりも質の低い商業化研究が多く行われるだけなのではないか、また、相対的に大学の本来の役割である基礎研究の質・量を落とすのでないか、といった懸念は残っている。

　筆者らは、創薬研究を題材にして、大学等公的研究機関が実施する応用研究の質（研究達成度、と呼んだ）の検証を試みた[227]。創薬研究は、臨床開発段階に進む医薬候補化合物を創製する段階を指す。この研究段階で、完成度の高い医薬候補化合物を最適化して取得し、かつ狙っている創薬標的の妥当性を十分検証してプロジェクトの可否を判断しないと、ヒトに投与する臨床試験において問題が生じ、医薬品としての承認までたどり着かないことになる。この創薬研究を、アカデミア研究者が単独で実施したプロジェクト（アカデミア創薬）と、製薬企業との共同研究によって実施したプロジェクトを網羅的に収集し、医薬品承認まで至った率を比較したところ、前者は後者より優位に低いことがわかった。このことは、大学等研究者が、応用研究を主に行う企業研究者の力を借りずに応用研究を実施すると、一緒に実施する場合より応用研究の研究達成度が低くなることを示唆している。大学と企業は、それぞれの研究能力の強みをよく理解し、適切な分業や連携をすることが、商業化研究の質を保つために重要であることがわかる。

4．日本の大学技術移転事業の動向

　ここからは、近年活発化している大学の技術関連事業者の動き、国の支援の状況などについて、最近の我が国のトピックスを紹介する。

　まず、近年の特徴として、国立大学法人が出資して、大学発の技術や知財、人材を活用したベンチャー企業に投資するベンチャーキャピタルの活動が挙

227）奥山・辻本（2017）アカデミア創薬の課題―創薬応用研究部分の能力に関する分
　　析―医療と社会, 27, pp.237-250

げられる。東京大学エッジキャピタル（UTEC）は、2004年に東京大学が承認
したベンチャーキャピタルとしてスタートした。2020年 1 月時点で、累積543
億円のファンドを運営し、100社以上に投資を行ったうち、11社が上場、11社
がM&A等の有意義なExitを達成した[228]。その成功例のひとつが、ペプチド
リームである。

　ペプチドリームは、東京大学菅教授が開発したフレキシザイム技術という
非天然アミノ酸を合成する技術を活用し、自然界に存在しない環状特殊ペプ
チドを人工合成し、創薬に結びつけるビジネスを行っている東京大学発ベン
チャーである。東京大学TLOから相談を受けて、UTECが事業化を支援し、
2006年にペプチドリームが創業した。この技術に、創薬シーズ探索を行う欧
米や日本の製薬企業が注目し、ペプチドリームは、2019年 5 月時点で19社の
企業と提携し、株式時価総額は約6,600億円に達している[229]。

　東京大学は、2016年にUTECに次ぐ二番目のベンチャーキャピタルとして、
東京大学協創プラットフォーム開発（東大IPC）を設立している。第 1 号投
資ファンドは230億円と資金規模が大きく、注目されている[230]。これらのベ
ンチャーキャピタルは、主に東京大学の研究成果や人材を活用したベンチャ
ー企業に投資しており、東京大学発の成果の実用化に大きく貢献している。

　東大IPCは国の交付金を原資とした官民ファンドであるが、同様のファン
ドは他の国立大学も設立している。京都大学は、京大の研究成果（特に知財）
を活用したベンチャー企業に投資する京都大学イノベーションキャピタル
（京大iCAP）を2014年に設立した。大阪大学は大阪大学ベンチャーキャピタ
ルを2014年に、東北大学は東北大学ベンチャーパートナーズを2015年に設立
している。また、これらの官民ファンドは相互に連携も行っている。

　国の動きとしては、日本医療研究開発機構（AMED）による医薬品・医療

228）UTEC HP　https://www.ut-ec.co.jp/about_utec/firm_profile
229）高額薬に「挑戦状」ペプチドリームに製薬大手が列　日本経済新聞　2019年 5 月28日
230）東大新設VC、いきなり230億円の投資ファンド日経ビジネス　2016年 9 月12日
　　https://business.nikkei.com/atcl/report/15/226265/090900055/

機器分野での技術移転支援が挙げられる。AMEDは、我が国の創薬や医療機器開発を司令塔として一元的に推進・支援する独立行政法人として、2015年に発足した。AMEDの事業範囲は公的研究機関を対象としたものだけではないが、大学発の創薬/医療機器開発プロジェクトへの支援や、アカデミア研究者向けの創薬プラットフォーム構築のための様々な取り組みを行っている。

　例えば、産学連携を活用して行われる医薬品や医療機器などの研究開発プロジェクトに、10年100億円（プロジェクトのタイプによっては50億円）を上限とした委託費を拠出し、予め定めた目標を達成した場合には全額だが、達成できなかった場合には条件に応じて一部のみ返済すればよい、というCiCLEと呼ばれる事業を展開している[231]。また、大学等公的研究機関が有する創薬シーズに対して、AMED創薬戦略部が研究戦略を策定し、理化学研究所や産業技術総合研究所などの公的研究機関の研究機能を活用して創薬を支援する、創薬ブースターと呼ばれる事業を行っている[232]。また、各大学や公的研究機関が有する大型施設や装置、大学等研究者が有する最先端の技術を外部開放し、外部研究者の医薬品等の実用化研究を支援する創薬等先端技術支援基盤プラットフォーム（BINDS）事業を行っている[233]。

　大学等による独自の実用化研究への取り組みもある。

　東京大学は、医薬品候補化合物をするための独自の低分子化合物ライブラリーと、それをスクリーニングするための機能を備えた施設を整備し、学内外からの創薬研究テーマに対してライブラリー提供とスクリーニング実施、支援を行っている。前身となる組織が2006年に設立され、現在は創薬機構の名前で運営されている[234]。理研は、2010年に創薬医療技術基盤プログラムを開始し、理研内の様々な創薬技術基盤を有機的に連携させて、創薬研究の上

231）https://www.amed.go.jp/program/list/07/01/001.html

232）https://www.amed.go.jp/program/list/06/03/001_01-01.html

233）https://www.binds.jp/

234）https://www.ddi.u-tokyo.ac.jp/

流から下流までを理研内で実施できる体制を敷いている[235]。北海道大学は、薬学研究院創薬科学研究教育センターを設立し、創薬標的の獲得と新薬候補化合物の創出を、自前で実施している[236]。

235）山口（2013）日本アカデミア発創薬の支援プログラム，日薬理誌，142, pp.241-246

236）児玉・荒戸（2015）医療イノベーション創出のための産官学連携拠点，日薬理誌，146, pp.268-274

第9章
サイエンス・ベースド・イノベーションと産学連携

　大学等で生み出されたサイエンスがイノベーションへと繋げられる主要な
パスの一つは、第2章で取り上げたベンチャー企業である。また、第8章に
述べたように、大学側も、大学研究者の成果のライセンスアウトや、大学発
スタートアップの支援等で、その研究成果の商業化に貢献している。一方、
特に日本のように、スタートアップによる産業エコシステムが十分には機能
していない国では、大企業を中心とした既存企業と、アカデミア研究機関と
の間で、産学連携を介してサイエンスをイノベーションへと結びつけていく
パスが、依然きわめて重要である。

　実際、最も典型的なサイエンス・ベースド・インダストリーである医薬品
産業では、産学連携が活発に行われてきた。企業にイノベーションのための
協力パートナーを調査した報告では、製薬企業はすべてのパートナーのなか
で大学等との協力を最も重視しており、医薬品産業における産学連携の重要
さは突出している、という[237]。

　製薬業界においては、大学と企業のローカルな結びつきのなかで、医学生
物学的知識のネットワークが築かれており[238]、製薬企業と大学研究者の学術
論文の共著関係を分析した研究からは、アカデミアとの結びつき
（connectedness）が製薬企業の新薬創出の生産性に重要であることが報告され

237）小田切（2009）医薬品産業におけるアライアンス，日本のバイオイノベーション，
　　第3章，白桃書房
238）Owen-Smith J, Powell WW,（2004）Knowledge networks as channels and
　　conduits: the effect of spillovers in the Boston biotechnology community.
　　Organization Science, 15, pp.5-21.

ている[239]。

本章では、サイエンス・ベースド・イノベーションに重要な役割を果たす産学連携に焦点をあてる。まず、産学連携とは何かを具体的に述べる。次に、産学連携が何故有効なのかの理論的背景と、産学連携を促進するうえで重要な地域性について論ずる。続いて、我が国の産学連携について、その歴史と特徴を述べる。最後に、産学連携の課題について述べる。

1．産学連携とは

産学連携とは、民間企業（産）と大学・公的研究機関（学）が、研究開発を共同で行ったり、各種の活動や事業において協力し合ったりすることである[240]。連携の形態には、産学共同研究や委託研究、技術指導やコンサルティングなど、様々なものがある。その総称を、産学連携、と呼んでいる。産学連携という言葉が、日本で多く使われるようになったのは、1990年代後半以降であり、その理由は、1995年に科学技術基本法が制定され、1996年に第1期科学技術基本計画が策定されて、産学連携を促進する政策が次々と打ち出されたため、という[241]。

現在は、産学連携という言葉が広く使われているため、その言葉の歴史の浅さにはやや違和感を覚える読者もいるかもしれない。しかし、言葉としては比較的新しくても、実際の産と学の連携は、古くから行われていた。筆者の調査では、日本の製薬業界において、産学連携による創薬は、少なくとも1980年代から活発に実施されていた[242]。さらに歴史を遡ると、欧米の科学技

---

239) Cockburn I, Henderson R, (1998) Absorptive capacity, coauthoring behavior, and the organization of research in drug discovery. The Journal of Industrial Economics, 46 (2), pp.157-182.

240) テキスト産学連携入門, 産学連携学会

241) 同上

242) Okuyama R, Osada H, (2013) University-Industry Collaboration in Drug Discovery in Japan: An Empirical Analysis over Thirty Years. PICMET'13, pp.2704-2710.

術を日本の大学が受け入れ、民間企業に移転していくという動きは、戦前から行われており、産と学が緊密に連携して産業の発展に寄与する動きは、明治以降の日本では珍しくなかったという[243]。

　産学連携は、サイエンスに依拠する産業で特に重要であることを述べた。その代表格である製薬産業において、産学連携が企業の研究開発に果たしてきた役割を具体的に見てみよう。

　元橋の調査によると、製薬企業が大学・公的研究機関と連携する主な目的は、最新技術・知識の獲得と、最新技術の導入である[244]。新薬研究は、薬の標的となる蛋白や生体メカニズムを定める創薬基礎研究段階と、定めた標的に対してそれを適切に調節する医薬候補化合物を、リードとなる化合物や生体内物質等から最適化する創薬応用研究段階からなるが、筆者の調査では、基礎と応用の両段階において、製薬企業は様々な科学知識や技術を大学等公的研究機関から産学連携によって獲得している。創薬基礎研究段階では、創薬標的となりうる生体メカニズムや病態機序、生理活性物質等の情報、創薬応用研究段階では、リード化合物となる物質（低分子やペプチド・蛋白等）、抗体や遺伝子治療等の技術、生物学的アッセイ法、低分子化合物合成デザインの技術や知識、薬物送達技術、などである[245]。

　このように、サイエンス・ベースド・イノベーションでは、研究開発に活用される多くの科学知識や技術が、産学連携を通じて公的研究機関から企業へともたらされている。

243）西村（2003）産学連携, 第7章, 日経BP社

244）Motohashi K,（2007）The changing autarky pharmaceutical R&D process: causes and consequences of growing R&D collaboration in Japanese firms. International Journal of Technology Management, 39（1-2）, pp.33-48.

245）Okuyama R,（2015）The types of scientific information and technologies acquired from university-industry relationships in the Japanese pharmaceutical industry-An empirical study from 1980 to 2012. International Journal of Technology Transfer and Commercialisation. 13（3/4）, pp.178-191.

2. 産学連携の意義

　第5章に述べたように、サイエンスは公共財としての性質をもつ。大学等で実施された学術研究の成果は、論文や学会等で発表され、だれでもその情報にアクセスして、新たな科学知識を得ることができるからである。それならば、産学連携を行わなくても、公表される学術論文を読んだり、学会を聴講したりするだけで、サイエンス・ベースド・イノベーションに活用する科学知識や、先進技術の情報が得られるのではないか、と考える人もいるだろう。ここでは、なぜ産学連携を行う意義があるのか、3つの観点から説明しよう。

形式知と暗黙知

　知識には、形式知と暗黙知があると言われる。形式知とは、文書や数式などで明示化された知識、暗黙知とは、経験や感覚で身につけられており言葉では簡単に表現できない知識のことである。科学知識にも、この分類が当てはまる。すなわち、学会発表や学術論文で発表される言語化された知識は、形式知である。一方、外部の科学知識を獲得しようとするときに、形式知化された知識だけを理解しても十分ではない。

　実験を行うときのコツやノウハウ、発表された科学知識の裏にある様々な付帯情報などは、通常論文や発表資料には掲載されない。そのため、企業研究者が論文等の形式知から得た情報だけをもとに、科学的知見や技術を再現、利用しようとしても、上手くいかない、ということが起こり得る。また、ノウハウや付帯情報を知っていたほうが、科学知識の活用のバリエーションが得られたり、技術のより効果的な応用が可能になったり、ということもあるだろう。こうした暗黙知は、人と人との直接的なインタラクションによってしか伝達されないため、共同研究などの産学連携を介して獲得することになる。日本のバイオ産業では、企業が大学に研究員を派遣し、大学の一線の研究者が有する暗黙知が企業研究者にトランスファーされることで、科学知識

が企業のイノベーションに活用されてきたことが報告されている[246]。科学知識や先進技術に付帯するノウハウや周辺情報を、それを生み出した研究者や、関連科学や技術を研究するアカデミア研究者の暗黙知として獲得できるのが、産学連携を行うことの一つの意義である。

先行者利益

　他社より早く市場に参入したり、新製品を導入したりできれば、後発にキャッチアップされるまで、市場での利益を独占できる。また、先行することで、開発経験や顧客等から得られる情報を活用し、他社に先んじて技術や製品の改良を行うこともできる。こうした先行者利益は、製品・サービス開発のより上流にある科学知識の獲得段階でも同様のことがいえる。

　学術研究は、それまで世に知られていないオリジナルな科学知見を発表することで価値が認められるため、新規性のある研究成果を学会や論文で発表するわけだが、研究者は、そのオリジナリティを確保するため、研究が一定の成果を収めて、まとまった形で成果を公表できるようになるまで、多くの場合研究内容を秘匿して研究を行う。秘密保持契約下で産学共同研究等を行うことによって、まだ公表前の実施中の研究について、その進捗や成果を他者より早く知ることが可能になる。そのぶん、新しい科学知識や技術をより早くイノベーションに活用できる機会が高まるのである。また、共同研究相手のアカデミア研究者に、企業の製品・サービス開発のための問題解決に役立つ研究を、追加して実施してもらうことなども可能になる。産学連携によって、公表された科学知見を得てから研究開発を始める他社に対して、先行者利益を得ることができるのである。

---

246) Zucker LG, Darby MR, Armstrong JS, (2002) Commercializing Knowledge: University Science, Knowledge Capture, and Firm Performance in Biotechnology. Management Science, 48 (1), pp.138-153.

コラボレーション効果

　企業と大学研究者が共同研究する効果のひとつとして、コラボレーション自体が、個別に研究を行うよりも効果を生みやすい、というコラボレーション効果がある。シュレーグは、我々が直面する課題や機会、それを取り巻く環境が複雑化するなか、個々の専門家だけでは問題解決は難しく、異なる専門性や技能をもった人たちがコラボレーションして取り組むことが、革新的な解決や成果を生み出すと主張した。彼は、コラボレーションは、「相補う技能を持つ二人、ないしそれ以上の個々人が、それまでは誰一人としてもってもいず、また一人では到達することのできなかったであろう共有された理解をつくり出すための相互作用」、だと述べている[247]。科学研究においても、コラボレーションの有効性はいわれている。科学分野におけるノーベル賞受賞者は、他の科学者よりもコラボレーションを行う傾向が強いことが報告されている[248]。過去50年に公表された学術論文と特許の分析から、単独研究者よりチームで行われた研究のほうが高インパクトの研究を生み出しており、その傾向は年々高まっていることも報告されている[249]。科学者のコラボレーションが研究の質を高めることは、他にも複数の研究で実証されてきている[250]。企業とアカデミアのように、類似領域を研究しながらお互いの専門性

---

247) シュレーグ（1992）マインド・ネットワーク　独創力から協創力の時代へ，瀬谷重信＋コラボレーション研究会訳　プレジデント社

248) Zuckerman H, (1967) Nobel laureates in science: Patterns of productivity, collaboration, and authorship. American Sociological Review, 32 (3), pp.391-403.

249) Wuchty S, Jones BF, Uzzi B, (2007) The Increasing Dominance of Teams in Production of Knowledge, Science, 316, pp.1036-1039.

250) Narin F, Stevens K, Whitlow ES, (1991). Scientific cooperation in Europe and the citation of multinationally authored papers. Scientometrics, 21 (3), pp.313-323やFrenken K, Holzl W, DeVor F, (2005) The citation impact of research collaborations: The case of European biotechnology and applied microbiology (1988-2002). Journal of Engineering and Technology Management, 22, pp.9-30など

が適度に違う組み合わせで連携を行うことにより、単独で行うより研究成果が得やすくなる、と考えられ、これが産学連携を行う意義の一つと言える。なお、ここでは主旨から逸れるため言及しないが、コラボレーション効果に影響を与える要因や、コラボレーションの発展段階についてなど、コラボレーションをめぐるマネジメント研究は多くなされているので、ご興味がある方は参照されたい[251]。

3．産学連携と地域性、クラスターの重要性

　産学連携は、企業と大学等公的研究機関の人的インタラクションを伴う活動である以上、地域性を考慮することは重要である。特定の地域に、ある特定分野の企業やその関連業者、大学等の関連機関が集中し、産業の集積地となることは、よく知られている。これをクラスター現象と呼び、ITにおけるシリコンバレーなどが、最もよく知られた例であろう。

クラスター理論
　産業クラスターが形成されるメカニズムについて、ポーターはクラスター理論として発表している[252]。クラスター理論では、ある特定地域に立地する企業が、他の企業より優位な競争力をもつことを促進する条件として、要素条件、需要条件、関連・支援産業、競争環境、の4つがあるとしている。この4条件は、独立したものではなく、互いに相互作用するものであり、また産業によっても各条件の重み付けは異なる。こうして決まる地域のビジネス環境とマッチした産業では、企業が競争力をもち、その地域がクラスター化する、とされている。

251）例えばMintzberg et al., (1996) Some surprising things about collaboration-
knowing how people connect makes it work better. Organizational Dynamics,
25 (1), SummerやGray B, (1989) Collaboating, Jossey-Bassなど

252）ポーター（1990）国の競争優位（上）（下）、（邦訳 1992年 ダイヤモンド社）

クラスターは、必ずしもハイテク分野に限った話ではなく、汎用品などの分野にも広く認められる現象である。ここでは、クラスターを促進する4条件を、サイエンス・ベースド・インダストリーにおいて考察してみよう。

　要素条件とは、その地域が有する人材や設備、研究シーズなど様々な資源を指す。需要条件とは、クラスターの内部や近隣に、知識や経験をもった顧客が十分存在していることをいう。関連・支援産業は、研究開発や生産のプロセスに必要な材料や部品、サービスなどを提供する他の組織である。競争環境とは、クラスター内のライバル企業の存在や、地域の規制などの政策も含む概念である。サイエンス・ベースド・イノベーションにおいては、イノベーションの源泉となる科学知識や先進技術を生み出す大学や公的研究機関、先端技術を扱うスタートアップなどが、研究者や新製品を生み出すための科学知識・先進技術などの要素条件を生み出すのに重要な役割をしている。

　こうした科学技術インフラは、サイエンス・ベースド・インダストリーの産業クラスターにおいて最も重要視されるものだろう。また、先端技術に投資するベンチャーキャピタルや個人投資家などは、サイエンス・ベースド・イノベーションに重要な存在であるが、資金を資源のひとつと捉えると要素条件、研究開発に必要な資金を提供する支援産業と捉えると関連・支援産業、と考えることができる。顧客としては、スタートアップが製品プロトタイプを導出・共同開発する大企業や、ITの場合であれば、先端技術を用いた新製品やサービスに対していち早く興味を示すテッキー[253]、医薬品の場合であれば直接の顧客となる医師などがクラスター内に存在し、アドバイスやフィードバックが得られる環境が、クラスターの競争力を促進するだろう。クラスター内に、類似の技術を手掛ける企業が多く存在することも、クラスターの競争環境を高め、その発展に寄与する。

　サイエンス・ベースド・イノベーションにおいては、知の創造拠点となる研究大学が、クラスター形成に重要な役割を果たす。研究大学は、研究機能だけでなく、知識と知識の融合、知識と事業との融合、人材育成、知の移転

253）新テクノロジーに対するマニアのこと。

など多くの機能によって産業クラスターの中核となる[254]。シリコンバレーでは、スタンフォード大学、カリフォルニア大学バークレー校やサンフランシスコ校といった研究大学が、クラスターの発展に大きな役割を果たしてきた。クラスターでは、単に関連する大学や企業が地理的に隣接しているという立地よりも、関係組織間でのネットワーク形成や、知識の移転や創造、といった概念が重要ともいわれる[255]。中核となる大学の出身者が、その研究成果を用いて起業し、研究者や企業間で活発な情報交換や技術連携等が行われる、といったソーシャル・キャピタルの結びつきのなかから、革新的なイノベーションが生み出され続けるのである。

サイエンス・ベースド・インダストリーにおける代表的なクラスター

　サイエンス・ベースド・インダストリーの代表格であるITとバイオにおいて、クラスターは産業の発展に大きな寄与を果たしてきた。IT産業の集積地として最も有名なのは、シリコンバレーであろう[256]。シリコンバレー発展の基礎となったのは、スタンフォード大学である。設立当初から実務家教育を重視し、1938年には同大学の卒業生がヒューレット・パッカードを創業している。シリコンの名の通り、半導体産業の集積地となったのは、接合型トランジスタの発明でノーベル物理学賞を受賞したショックレーがこの地に起業したことに始まる。そこから独立した研究者が創業したフェアチャイルド・セミコンダクターが、シリコン上に平面集積回路をつくることに成功し、このシリコンチップの量産化体制も構築して、市場を開拓した。この成功を受けて、1960年代から70年代初頭に、現在のシリコンバレーの地に半導体企業が60社設立された。フェアチャイルド・セミコンダクター出身のノイスとム

254）橋本・梶川・武田・柴田・坂田・松島（2008）クラスターネットワークにおける研究大学の役割と機能, 日本知財学会誌, 5（1）, pp.27-51
255）藤田（2011）産業クラスター研究の動向と課題, 早稲田商学, 第429号 pp.101-124
256）以下のシリコンバレーの歴史は、大木（2011）シリコンバレーの歴史, 京都マネジメント・レビュー, 第18号, pp.39-59、上山（2010）シリコンバレーの生成とアカデミック・アントレプレナーとしての研究大学, 企業家研究, 第8号, pp.72-90を参考にした。

ーアが1968年に設立したのがインテルである。インテルは、コンピュータ用のマイクロプロセッサを設計し、その後は、「ムーアの法則」に従うように半導体集積率の改良を続け、コンピュータチップのデファクトスタンダートを獲得していった。

　シリコンバレーは、10〜15年ごとに技術革新の波が形成されてきたと言われ、1970年代から80年代にかけてはパーソナル・コンピュータ（PC）の時代が来た。コンピュータ好きのテッキーたちがインフォーマルなクラブに集まり、そこからアップルなどPCのベンチャーが10社以上創業している。アップルを創業したジョブスはアタリのエンジニアであり、共同創業社のウォズニアックはカリフォルニア大学バークレー校を中退してヒューレット・パッカードで勤務していたなど、クラスター内のネットワークから人材と技術が生み出されてきた。1980年代前半からは、スタンフォード大学やカリフォルニア大学バークレー校で開発されたワークステーションやネットワークルーターなどの技術によって、シスコやサン・マイクロシステムスなどのベンチャー企業が創業した。90年代からはインターネットを用いたソフトサービスの時代となり、ヤフーやグーグルが創業されたが、両社はいずれもスタンフォード大学の大学院出身者が設立したものである。

　シリコンバレーを含むカリフォルニアベイエリアは、バイオの集積地としても知られる。スタンフォード大学のコーエンとカリフォルニア大学サンフランシスコ校のボイヤーが開発した遺伝子組み換え技術は、スタンフォード大学によって特許化され、ライセンス供与によってスタンフォード大学に300億円程度の多額な収入をもたらした。この遺伝子組み換え技術に基づいたバイオ医薬品の研究開発を行うため、世界初のバイオベンチャーの一つといわれるジェネンテックが1976年に設立されるなど、1984年までに22社のバイオ技術企業がベイエリアで創業し、シリコンバレーはバイオの拠点としても発達した。

　バイオ産業のクラスターとしては、ボストンも有名である[257]。ボストンは、

<hr />

現在バイオテクノロジーのコミュニティとしては世界最大といわれ、約120
社のバイオメディカル企業が集積し、マサチューセッツ工科大学（MIT）や
ハーバード大学などが近接し、多数の研究関連機関や投資家などが集まって
いる。もともと、MITやハーバード大学が知の創造拠点として存在し、1980
年ごろにバイオジェンやジェンザイムが設立されて以来、バイオスタートア
ップの創設が相次いだ。1990年代後半からは、グローバルメガ製薬企業が次
々と研究拠点を置き、クラスター化が進んでいった。

産業クラスター政策

　シリコンバレーのようなクラスターは、自然発生的に生じたものであり、
意図的につくられたものではないが、クラスターの成功を見て、政策的にク
ラスターをつくり出して産業発展を起こそう、という考え方が出てきたのは
不思議ではないだろう。欧州各国では、1990年代の後半からクラスター政策
が敷かれ、クラスター形成活動が促進されてきた[258]。英国では全国12カ所の
地域開発公社がそれぞれ10件程度の産業セクターを設定し、クラスター形成
活動を推進している。ドイツでは、ビオレギオを呼ばれるバイオクラスター
政策が実施され、フィンランドでは、センター・オブ・エキスパタイズとい
う制度で、22カ所のクラスター形成活動が支援された。
　日本では、2001年の第2期科学技術基本計画のなかで、初めて「クラスタ
ー」という言葉が政策用語として登場したという[259]。同年、「産業クラスター
計画」と「知的クラスター創生事業」の実施が決定され、国によるクラスタ
ー形成活動の支援が始まった。経済産業省は、2005年までを産業クラスター
の立ち上げ期、2006〜10年を産業クラスターの成長期、2011年〜20年を自律
的発展期と位置づけており[260]、現在までに大小様々な産業クラスターが国内

258）経済産業省平成16年度産業クラスター研究会資料
259）姜・原山（2005）「クラスター計画」と「産学連携」, 研究技術計画, 20（1）, pp.4-11
260）経済産業省HP
　　https://www.meti.go.jp/policy/local_economy/tiikiinnovation/industrial_
　　cluster.html

に形成されている。日本最大級のバイオメディカルクラスターは、神戸医療産業都市である。理研や先端医療センター、神戸大学などの公的研究機関と、バイオ企業、高度専門病院などが、2017年時点で約350機関集積し、2019年3月末で約1万1千人の雇用を生み出している[261]。研究機関、医療機関、企業が連携し、医薬品、医療機器、再生医療を重点として様々なイノベーションが追求されている。川崎市は、殿町地区にキングスカイフロントと呼ばれる新産業拠点をつくっている[262]。大学や公的研究機関が拠点を置き、スタートアップや企業が多数進出して、ライフサイエンスと環境分野を中心に産業創出をめざしている。この地域は、国家戦略特区・国際戦略総合特区・特定都市再生緊急整備地域に指定されており、規制緩和・財政支援・税制支援等の様々な優遇制度の活用が可能となっている。

4．日本の産学連携

歴史的な流れ

　前述したように、日本の産学連携の歴史は古い。1886年に設立された帝国大学工科大学は、大学でありながら技術や工学を取り入れ、かつ所轄の工部省など国のための人材育成の目的も兼ねていたことから、学士号をもつ技術者が産学官いずれでも働くという状況が生まれており、日本は産学連携の最先進国であった、ともいわれる[263]。帝国大学工科大学の藤岡市助が、電灯や発電機、白熱電球など自らが関わった研究成果をもとに、次々と起業を行った例、東京帝国大学の池田菊苗がうまみ成分としてのグルタミン酸ナトリウムを発見し、それをもとに味の素が商品化されて味の素株式会社へと発展した例、ドイツ留学から帰国した長井長義が東京帝国大学薬学部教授と大日本製薬の長を兼任した例など、戦前の日本には、今でいう大学発ベンチャーや、

261）神戸医療産業都市HP　https://www.fbri-kobe.org/kbic/

262）キングスカイフロントHP　https://www.king-skyfront.jp/

263）村上（1994）科学者とは何か，新潮社

産と学の兼業といった事例が多く見られた[264]。

　活発な産学連携の流れが変わったのは、戦後である。戦前の産学官連携は結果的に軍国主義への協力になったとの認識から、国立大学教員の職務専念義務、国立大学と企業との共同研究への規制、公務員による発明の国有財産化が定められた[265]。1950年代半ばから70年代初頭の高度成長期には、日本の企業は主に海外からの技術導入によるキャッチアップを図り、国内大学の研究成果への期待は小さかったという[266]。この頃は、米国で企業が中央研究所をつくって自前主義の研究開発を活発に行っていた時期で、日本もそれに倣い、大学や国公立研究所は、企業研究者の人材輩出の場であっても、産学連携は活発には行われなかった。むしろ、産と学の協調性は乏しく、企業研究者には「もはや大学を相手にせず」との声まであったという[267]。1980年代に入り、日本の産業の国際競争力が高まると、米国などから、基礎研究ただ乗り論（日本は海外の基礎研究成果にただ乗りして産業を繁栄させているとの批判）が起こり、日米貿易摩擦への対応もあって、日本は基礎研究重視にシフトする。その際、基礎研究を担ったのは、大学よりもむしろ大企業の中央研究所だったという[268]。こうしてバブルが崩壊する1990年代前半まで、企業のイノベーションに寄与する基礎研究の多くは、企業内の中央研究所が担い、産学連携は余り活発に行われなかった。

　その間、米国では、1980年頃から産学連携や大学の研究成果の商業化を進める動きが高まった。大学知の商業化に関する政策的な動きについては、第8章で解説したため、詳細は省くが、米国では、1980年にバイ・ドール法が制定されて、大学等研究者が自らの研究成果で特許を取得できるようになった。これにより、大学等の研究成果の産業応用が促進されるようになっていった。日本では、バブル崩壊によって企業の業績が悪化し、事業化まで長期

264）兼本（2015）日本における産学連携, 総合政策論叢, 第6号, pp.47-80
265）玉井・宮田（2007）日本の産学連携, 玉川大学出版部
266）西村（2003）産学連携, 日経BP社
267）中山（1995）科学技術の戦後史, 岩波書店
268）西村（2003）産学連携, 日経BP社

間を要する基礎研究への投資が難しくなったこと、1990年代には逆に産業の活性化が目立っていた米国のやり方に倣おうとの機運が高まったことがあり、日本でも産学連携を促進するための法整備や施策を進め、経済活性化に繋げようという流れになった。1995年に科学技術基本法が定められ、これを受けて1996年に策定された第1期科学技術基本計画において、産学官の交流促進が謳われた。1998年の大学等技術移転促進法（TLO法）の施行を機に、一連の産学官連携推進施策がとられ、政府誘導型で大学と産業界が接近していった[269]。1999年には日本版バイ・ドール法が制定され、2004年には国立大学法人化が実施されて、国立大学が教員の発明を大学に帰属させて、その知的財産のマネジメントを自律的に行うことができるようになった。一方、国は、2001年の第2期科学技術基本計画のなかで、産学官連携の重要性を強く位置づけ、その後、大学発ベンチャー促進、知的クラスター創成事業、大学知的財産本部整備事業、を進めていくことになる[270]。

現　状

　大学等と民間企業との共同研究数や、民間企業からの研究資金の支出額は、2004年の国立大学法人化以降、年々増加しており、共同研究数は2017年度の調査で25,451件、大学等の民間企業からの共同研究費受入額は608億円に上っている[271]。また、大学発特許のライセンス等件数は、2015年度に年間約1万件、ライセンス等収入は約20億円となり、これは、件数は1999年度、収入は2001年度のデータと比較して、それぞれ約11倍、約165倍になっている[272]。一方、外国との比較において、大学等における民間資金導入は低調であり、1件あたりの規模も少額に留まっている[273]。米国では1,000万円を超える大型

269）原山（2005）産学官連携とは？　産学官連携ジャーナル，1（7），pp.30-33

270）兼本（2015）日本における産学連携，総合政策論叢，第6号，pp.47-80

271）文部科学省　平成29年度大学等における産学連携等実施状況について

272）文部科学省　平成27年度大学等における産学連携等実施状況について

273）文部科学省　科学技術・学術審議会　産業連携・地域支援部会資料　令和元年5月24日

共同研究・委託研究が比較的一般であるのに対して、日本では、平成29年度調査で1,000万円以上の実施案件数は全体の3.8%にすぎない[274]。同じ調査の結果では、共同研究費・受託研究費全額のうち、1,000万円以上の案件の受入総額は全体の45.9%であり、大型共同研究・委託研究の総数が増えていけば、大学等の民間資金導入額も自然と増加するものと考えられる。

　このように、産学連携は年々活発化しているものの、大型共同研究が少ないことを、国は問題視している。多様な専門性をもつ人材が結集し、社会に大きなインパクトを与えるような技術を生み出すには、一定以上の研究開発規模が必要と考えられるためである[275]。大型共同研究の増加には、共同研究が進展して応用・開発研究が重視されるフェーズに入ると共同研究の規模が拡大される傾向があることから、共同研究が成果を出して延長等されることが重要で、そのために大学は共同研究の成果創出確度を高めるための組織的なマネジメントに取り組むべき、とされている[276]。これを受けて、政府の総合科学技術・イノベーション会議は、大学・国立研究開発法人による共同研究機能の外部化を可能とする仕組みつくりを検討している[277]。これは、共同研究機能を有する組織を、複数の大学や国立研究開発法人が出資する形で大学等組織の外につくり、その外部組織が企業との共同研究やそのための資金獲得等を行おう、という考え方である。これによって、意思決定の迅速化や、専門人材・ノウハウの蓄積による企画力の向上、経費の見える化や研究者への適切な報酬、人材育成等でのメリットが見込めるとしている[278]。海外では、米国のStanford Research Institute Internationalや、ドイツのシュタインバイス財団の例などがあり、我が国でも同様の外部組織の設立を法改正含め

274）文部科学省　平成29年度大学等における産学連携等実施状況について

275）NISTEP大型産学連携のマネジメントに係る調査研究2017

276）同上

277）総合科学技術・イノベーション会議　令和元年 5 月13日

278）産学官連携の現状　内閣府
　　　https://www5.cao.go.jp/keizai-shimon/kaigi/special/reform/wg7/20191101/
　　　shiryou1_part3.pdf

て可能にしようという取り組みが行われている[279]。

近年の産学連携の特徴

　サイエンス・ベースド・イノベーションにおける近年の産学連携の特徴として、ある分野に関する研究を幅広く取り扱う包括連携タイプのものや、大学と複数企業が参加する大型のものが実施されていることがあげられる。大型共同研究は、前述の調査より指摘されているように、まだまだ数は少ないものの、従来は、大学の研究室と単一企業が、ある特定の研究課題について小規模な共同研究や委託研究などを行うのが通常だったことに比べると、より大規模で体系的な取り組みが行われるようになってきている。

　京都大学では、大学を拠点として多数の企業が参加して国家プロジェクトを行う国プロ拠点型、国の補助金と企業の拠出金を原資に企業と大学が包括的に研究開発を行うマッチングファンド型、企業と大学が大型プロジェクトを共同で行う大型アライアンス型、大学と複数企業が共同で研究シーズを探索し共同研究を創出する包括連携型、が行われている[280]。国プロ拠点型は、革新型蓄電池実用化促進基盤技術開発を、マッチングファンド型は、高次生体イメージング先端テクノロジーなどを、大型アライアンス型は製薬企業と疾患別の創薬研究を対象としており、社会的課題をテーマとした包括連携型以外は、大学の先端サイエンスの活用をめざした共同研究と考えられる。武田薬品は、京都大学iPS細胞研究所（CiRA）と10年間200億円規模の共同研究（名称：T-CiRA）を実施しており、武田薬品湘南研究所を拠点に、CiRAと武田薬品両者から研究者が参加して、iPS細胞技術の臨床応用をめざした研究が進められている[281]。

279）産学官連携の現状　内閣府
　　 https://www5.cao.go.jp/keizai-shimon/kaigi/special/reform/wg7/20191101/
　　 shiryou1_part3.pdf
280）京都大学における産学連携活動の取り組み　平成29年5月18日
　　 file:///C:/Users/User/Desktop/京都大学の産学連携平成29年.pdf
281）武田薬品HP
　　 https://www.takeda.com/jp/newsroom/newsreleases/2015/20151215_7249

中外製薬は、大阪大学免疫学フロンティア研究センターに研究拠点を設立し、中外製薬から研究員を駐在させて10年間100億円規模の共同研究を実施している[282]。

　企業が、自社の研究開発に必要な研究や技術シーズを、広く社外のアカデミア研究者に募集する「公募型」の産学連携も、近年の特徴のひとつである。製薬業界では、製薬企業が、新薬のネタになるような疾患研究や創薬シーズをwishの形で社外に公開し、wishにマッチする研究や技術内容を有する大学等研究者から、共同研究の応募を受け付ける、という活動を行っている。塩野義製薬のFINDS[283]や、第一三共のTaNeDS[284]といったプログラムが先駆けであったが、現在は多数の製薬企業が同様のプログラムを実施している[285]。

5．産学連携の課題

利益相反

　産学連携において、研究に関わる大学教員は、自らの研究成果が生む商業的利益を得たり、共同研究先企業から研究費等を受け取ったりする立場にあるため、産学連携が生む私益と、大学人として公共にもたらすべき便益とが相反する状況が発生する場合がある。これを利益相反という。利益相反は、特に医学研究で生じやすいとされる。医師は、自ら研究者であるとともに、その研究から生み出される新薬等の治験を行う立場にあり、また専門家として薬事審査等に意見を述べるキーオピニオンリーダーとしての役割ももつ。

282）中外製薬HP
　　https://www.chugai-pharm.co.jp/news/detail/20160519150000_180.html
283）松本・坂田（2009）製薬イノベーションにおけるオープンモデル，日本のバイオ
　　イノベーション，第5章，白桃書房
284）藤田（2013）創薬研究公募TaNeDSによるイノベーション，日本薬理学会誌，142，
　　pp.89-95
285）AMED HP
　　https://www.amed.go.jp/program/list/06/01/seeds-needs_list.html

このような複数の役割を併せもつことから、医師の利益相反マネジメントは特に重要である。

米国では、1960年代から、産学連携による利益相反に対して問題提起がされてきた。日本では、2004年に、自らの研究成果をもとに設立された大学発ベンチャーの株式を保有していた医師が、そのベンチャー企業の遺伝子治療の治験を担当しており、実際には治験に第三者を入れるなど、当該ベンチャー企業と医師は利益相反マネジメントをしっかり行っていたにもかかわらず、利益相反の可能性が報道された事例があり、それをきっかけに具体的な取り組みが加速したという[286]。2007年から2009年にかけては、高血圧治療薬を販売する製薬企業の社員が、その身分を秘匿したまま、臨床研究に関わった大学のデータ統計に関わり、大学側も当該製薬企業からの奨学寄付金の受け入れを開示せずに論文発表していた事例があった。

この事例は、当該社員がデータ操作に関与して逮捕されるといった研究不正の問題もあって大きく報道され、社会的にも利益相反が大きな注目を浴びる結果となった[287]。これらを受けて、業界、大学病院、政府がそれぞれ利益相反に関わるガイドラインを制定し[288]、各国立大学も大学ごとに利益相反マネジメントモデルを構築して、取り組みを図っている[289]。

ニーズとシーズのミスマッチ

産学連携は、大学等の公的研究機関と企業とが協働して価値を生み出す活動であり、価値創出の始点となる大学等のシーズと、それを製品等の価値獲

286）西村・塚本（2005）産学連携と技術経営，第7章，丸善
287）産学連携学会（2016）テキスト産学連携学入門，下巻，第13章
288）「製薬企業による臨床研究支援の在り方に関する基本的な考え方」（日本製薬工業協会、2014年）、「企業等からの資金提供状況の公表に関するガイドライン」（国立大学附属病院長会議、2014年）、「人を対象とした医学系研究に関する倫理指針」（厚生労働省・文部科学省、2014年）など。
289）飯田（2016）産学連携の推進に向けた リスクマネジメントの取り組み，イノベーション促進産学対話会議
file:///C:/Users/User/Desktop/利益相反飯田香緒里2016年スライド.pdf

得までつなげる企業側のニーズをうまくマッチさせることが、成果創出に重要となる。しかしながら、自然原理等の理解を深めることを一義的な目的としている大学の基礎研究者が、企業の応用ニーズを的確に理解することは容易ではない。一方、企業側は、どの研究シーズが自分たちのめざす製品やサービスの開発に有用なのかを見極める目利き力を高くもたないと、協働すべき大学シーズを適切に見定めることができない。

　この、ニーズとシーズのミスマッチが、産学連携においてはしばしば問題となる。NISTEP定点調査2017では、大学・公的研究機関が産学連携を行う上での自組織の問題点として最も上位にあげていたのは、企業に魅力的プロジェクトを企画・提案できていないことであり、その理由として、企業ニーズの把握や企業の実情への理解不足があげられている[290]。一方、企業側の問題点としては、組織的な研究体制や戦略策定に加えて、大学・公的研究機関の研究シーズへの目利き力が弱いことが最上位にあげられている[291]。この課題を解決するため、東京大学ではProprius21という共同研究創出プログラムを行っている。これは、研究と企業活動に豊富な経験を有する人材をプログラム・オフィサーとし、産学がオープンな意見交換を行う場の提供と、それをきっかけに共同研究候補テーマの絞り込みと最適な大学研究者のマッチングを行う活動であり、情報通信分野を中心に共同研究数の増加に貢献している[292]。東京大学産学協創推進本部が、新技術発掘から事業化フェーズまでの幅広いステージで、東大研究者と民間企業とのマッチングを推進している[293]。

情報漏洩や知財意識の問題

　大学と民間企業が共同研究を行う際に、大学側が研究の実務担当にアサイ

290）村上（2018）組織的な産学官連携を行う上での問題点とその背景要因, STI Horizon, 4（4）, pp.38-43

291）同上

292）岩田・寺澤・長谷川・影山（2012）産学連携共同研究の創出過程の分析：東京大学のProprius21を事例として, 研究技術計画, 25（3_4）, pp.342-351

293）https://www.ducr.u-tokyo.ac.jp/activity/research/proprius21/index.html

ンした学生が、卒業して他の民間企業に就職する場合がある。また、同じ研究室に、競合他社からの派遣研究者が在籍している場合もある。こうしたルートを通じて、共同研究の内容が他社に漏洩してしまうリスクがある。情報管理のコンプライアンスを徹底させることが重要であるが、同じ研究室内で、共同研究内容をたまたま目にあるいは耳にしてしまう機会を完全に遮断することは難しく、情報漏洩の危険性は常に存在する。

　大学等の教員側が、秘密保持契約下で共同研究を実施しているにもかかわらず、共同研究先の許可がないまま、学会等で研究成果を公表してしまう、といったケースもある。アカデミア研究者は、研究成果を公表することでオリジナリティを証明し、研究者としての業績を築いていく必要があるため、どうしても公表へのモチベーションが働く。また、研究実務を担当する学生に、公表によって業績をつくらせ、学位を取得させなくてはいけないという事情がある場合もある。企業側としては、共同研究で得られた研究成果をなるべく長期間秘匿し、自社の先行者利益を確保したいわけで、そこにコンフリクトが生ずることが多い。

　アカデミア研究者の希薄な知財意識が問題となることもある。企業側は、共同研究の成果を特許化することで自社の優位性を確保することが重要であるが、特許出願前の成果を大学教員側が公表してしまい、それによって公知化されることで、知財化が難しくなることがある。大学教員側としては、自身の技術が特許化されることで、他の研究者や企業との共同研究がその後制限される場合があり、特許出願に前向きにならないケースもある。成果の知財化については、事前に産学間で十分に協議し、合意を得ておくことが重要である。

アカデミア研究者と企業研究者の研究マインドの違い

　共同研究において、アカデミア研究者と企業側に進め方のコンフリクトが生じる一因として、そもそも学術研究と企業の応用研究に求められる研究者のマインドが異なるという原理的な問題がある。基礎研究は、新たな科学的知見を既存の理論体系に付加することで研究の価値が認められ、それは研究

成果の公表によって認知される。一方、応用研究は、製品化が目的であるため、開発している製品候補のスペックが市場のニーズやクライテリアに達しないと成功にならない。そのため、アカデミア研究者は、研究結果が出るとそれを前に進めて、早く成果にしたい、という気持ちが強く働き、一方で企業研究者は、まだ製品化には課題と考えられる部分を解決しないと先には進めないという慎重な姿勢にならざるを得ず、両者のマインドが衝突して、研究の進め方に異議が生じることとなる。すなわち、まだ市場で試すには不十分なスペックと企業が考える製品候補に対して、アカデミア研究者側は、開発を先に進めたい、と主張して、折り合いが難しい場合などが発生する。先に述べた公表と秘匿のバランスも、こうした研究マインドの違いが一部影響している可能性があり、根源的な問題だけに簡単な解決は難しい。共同研究を実施する両者が、丁寧な議論を重ね、アカデミア研究者の成果公表の機会をある程度確保しつつ、応用研究としてのゴール感を共有することが重要である。

　アカデミアと企業の研究者のマインドの違いは、科学優越主義（science supremacy）の影響もある。欧米では、長く科学と技術は分離されて捉えられ、真理の探究をめざす科学は、応用のゴールをめざす技術開発よりも上位にあると考えられてきた[294]。このため、より基礎部分の研究を担うアカデミア研究者が、応用や製品化のための応用研究や技術開発を担う企業研究者を無意識に下に見てしまい、企業研究者側の意見が通りにくい風土がないとは言えない。また、医学領域では、企業の共同研究相手が医学部教員である場合が多く、その企業が販売する医薬品や医療機器の顧客でもあるため、企業研究者側がモノを言いにくいというケースもままある。

294）村上（1986）技術とは何か, NHKブックス

第 5 部

サイエンス・ベースド・イノベーションと企業戦略

第10章
サイエンス・ベースド・イノベーションと戦略論

第5部では、サイエンス・ベースド・イノベーションで効率的に成果を出すために、既存企業が考えるべき戦略について述べる。スタートアップが必ずしも成熟しておらず、大企業を中心としたイノベーションが中心的である日本において、既存企業がとるべき企業戦略を考察することは、意義が大きいからである。また、ディープテック・スタートアップへの投資や買収等で、ビジネスの拡大をめざす日本企業も増えており、これには外部連携戦略や技術戦略がきわめて重要な視点となる。

企業の経営戦略は、1950年代から近年に至るまで、多様な学説が提唱されてきており、それを学ぶことは、さながら戦略という獣が共生するサファリを探検するようなものだ、とも言われる[295]。ここでは、サイエンス・ベースド・イノベーションのマネジメントを考察するうえで重要な視点をいくつか取り上げ、関連する戦略論のみに焦点を当てる。本章では、企業レベルでの戦略論を述べ、第11章ではよりミクロレベルも含めた技術マネジメント戦略に焦点をあてる。

1. 計画学派と創発学派

戦略計画論とポジショニング

1960年代に、アンソフらによって提唱されたのが、戦略計画の考え方である[296]。

---

295) ミンツバーグら（1998）戦略サファリ，（邦訳 1999年 東洋経済新聞社）
296) アンソフ（1965）企業戦略論，（邦訳 1985年 産業能率短期大学出版部）など

これは、経営トップや本社が、事前に企業のとるべき方向性を明示的に示し、それに沿って事業を進めていく、という考え方である。具体的には、企業は、社外環境の機会と脅威、社内の強みと弱みをSWOT分析[297]し、自社の製品と市場ニーズから、進むべき成長ベクトルを決める。取り得る成長ベクトルのオプションとしては、既存製品を市場浸透させる、新製品を開発して既存市場で売上げを高める、既存製品で市場開拓する、多角化する、がある。方向性を考える際に、シナジーを考慮することが大事とされる。すなわち、販売チャネルが共有できる製品群を揃える、製造が共通の設備や材料でできる、複数の製品に活用できる研究開発に投資する、などである。

　上の考え方のうち、特に外部環境分析の部分に着目して、企業の取り得る戦略を論じたのが、ポジショニングの概念である。ポーターは、企業は、市場のどのセグメントに位置取りすれば、より利益が上がるのか、を判断することが、経営戦略に重要である、とした[298]。その際、考慮すべきなのは、同種企業間での競合に加え、供給業者の交渉力と顧客からの圧力、新規参入の脅威と代替品の脅威、の5つである。これは、ファイブフォースと呼ばれ、分析のフレームワークとして提唱された。企業は、この5つの要素を分析して、どの業界が、そしてその業界内のどのセグメントが、今後高い成長を見込めるのかを見極め、そのポジションにより早く位置取りすることで、競争に勝てる、という考え方である。

　経営トップや本社が、経営戦略を打ち出し、それに紐付いた目標が各部署に降ろされて実行されていく、という経営手法は、現在も多くの企業で行われている。SWOTやファイブフォースといった分析手法は、戦略立案のための分析フレームワークとして定着し、多用されている。戦略計画論は、経営層がどこまで市場の動きや製品のポテンシャルを正しく予測できるのか、といった点、ポジショニング理論は、他社も同じポジションを取ったらそこか

---

297) Strengths, Weaknesses, Opportunities, Threatsの略。これを2×2のマトリックス表に置き、分析のフォーマットとして使うことが多い。

298) ポーター（1980）競争の戦略,（邦訳 1995年 ダイヤモンド社）

らどう競争していくのか、といった企業間相互作用の問題などが、課題として指摘されてきたものの、これらの考え方は、現在では多くの企業に浸透し、採用されているといってよいだろう。

創発戦略

　戦略計画論に対して、経営層や本社の机上の分析によって企業の成長ベクトルを正しく予測することは難しく、実際には、現場が都度、自社製品の強みや成長機会を見いだして柔軟な対応をすることで、企業は成長する、という立場に立つのが、創発戦略の考え方である[299]。この考え方では、自社の強みと外部機会のマッチングを行って、ビジネスチャンスを捉えていくのは、現場の事業部長や課長クラスの、いわゆるミドルマネージャーである。自社のこの技術が新たにこの市場の製品に活用できる、とか、自社製品の応用がこの新たな市場で可能だ、といった試行錯誤が、現場レベルで行われ、そのなかから新たな成長ベクトルとなるようなビジネス上の成功が生み出されている、ということである。この場合、戦略は、事前に分析的に導かれて意図されていたものではない。むしろ、現場が生き残るために日々考えて実行してきたことが、企業の成長を生み、それが事後的に、その企業が実現した戦略になっていくのである。

　創発戦略は、戦略計画論に対するアンチテーゼとして提唱され、実際の企業活動を実証的に分析して導かれた部分が大きいため、戦略計画論よりも現実に即した考え方とも捉えられる。一方で、現場に自由度を与えて創発的にやらせることで、事業はどんどん広がり、それが上手くいかない場合でも、当事者である現場は止めたがらないことが多く、企業の成長が阻害される場合もある。実際には、不採算事業からの撤退や、選択と集中を、経営がトップダウンで行うことで、企業の成長を図るべきケースも多いわけで、現場の

---

299) 創発戦略については、ミンツバーグやクインらが提唱してきた。本書では、前述の「戦略サファリ」や、沼上（2009）経営戦略の思考法，日本経済新聞出版社らの論考も参考にしている。

創発だけで企業経営が上手くいくのか、といった課題も指摘されている。

　創発戦略に深く関連する戦略論として、組織学習を重要視するラーニング学派がある。組織は、現場レベルで創発したアイデアやトライのプロセスから学習し、それが戦略に生かされて実行されていく、という考え方である。ホンダの小型バイクによる米国オートバイ市場での成功について、興味深い逸話がある[300]。この成功要因を分析したボストン・コンサルティング・グループ（BCG）は、ホンダがオートメーション化技術を用いて、小型オートバイの特定車種の大量生産とそれに伴う低コスト化に成功し、それを米国の中産階級に向けて販売したマーケティング戦略の成果である、と結論づけた。しかし、実際にホンダのマネージャーたちにインタビューすると、50ccのスーパーカブが、豪華なものを好む米国市場に受け入れられるとは当初まったく考えておらず、自社の大型オートバイが米国の長距離走行では壊れやすいことがわかってやむをえず小型に舵を切ったこと、米国に駐在したホンダ社員が50ccのスーパーカブを街中で乗っていたことが注目を浴びて、現場の販売担当が上層部を説得して市場導入を決めたこと、が経緯であった。

　すなわち、ホンダは米国の事業機会で試し、そこから学習することで、新たな戦略を立案・実行して成功を収めたのである。BCGの報告書は、英国政府の依頼によって英国企業の競争力を復活させるために作成されたものだったが、その後も英国からのオートバイの米国への輸入は大きく落ち込み、一方で日本からの輸入は右肩上がりに増加していったという。このように、優れた戦略とは、一見合理的に思われる計画を経営層や本社が形式的に描くことから生まれるのではなく、現場の創発的な取り組みから学習し、より上手くいきそうなものを発見したり見定めていったりするところから生まれる、というのがラーニング学派の考え方である。すなわち、learning by doing（やりながら考える）の姿勢が重要なのである。

---

300) 本逸話は、前述の「戦略サファリ」第 7 章ラーニング・スクールの記述を参考にした。

計画か創発か？

　では、サイエンス・ベースド・イノベーションには、戦略計画論と創発戦略論のどちらがフィットするのであろうか。考えなくてはいけないのは、サイエンス・ベースド・イノベーションの場合、イノベーションの源泉となるサイエンスは、意図して生み出すことができない、という点である。主に学術機関で行われる研究から、新たな科学知識や先端技術が発見、発明される過程は、研究者が、その科学的興味やニーズに基づいて試行錯誤するプロセスそのものであり、そこからどんな新規性のある発見や発明が出てくるのかは、試している研究者自身も正確に予測することはできない。もちろん、研究は、ある仮説をもって実験や計算が組まれ、その結果を見ながら仮説の正しさを立証していく作業である。しかし、実際に実験や計算を試してみて、仮説通りにいかないこともしばしばであるし、その過程で起こる偶然の発見から、新たな学説が導かれることもある。特に、科学的インパクトの高い発見や発明ほど、既存の知識体系の延長線上では思いつかないことが多く、研究者のセレンディピティがものをいうケースも多いだろう。

　そう考えると、企業の進むべき方向を、あらかじめ計画しても、それに沿った製品やサービスが期待通りには生み出せない、逆に予想していなかった領域でイノベーションが起こり、企業の成長機会が生まれる、といったことは、サイエンス・ベースド・イノベーションを扱う企業には、しばしば起こりえることになる。サイエンス・ベースド・イノベーションの典型である革新的医薬品の研究開発における例をあげよう。

　アルツハイマー型認知症は、2017年時点では、世界で約3,500万人の患者がおり[301]、高齢化社会の進展で今後ますます患者数が増加することが予想されている。しかし、現時点では、病態の進行を遅延させる薬剤があるが、根本的に治療できる薬剤はなく、画期的な効果を示す新薬の登場が待たれている。アルツハイマー型認知症の薬剤として世界で初めて承認されたのは、エーザ

---

301) Global Alzheimer's Disease Prevalent Cases Forecast, 2017-2027 Decision Resources Group.

イが創製したアリセプト（物質名：ドネペジル塩酸塩）である。本剤は、1997年に米国で最初に新薬として承認された。以来、エーザイは認知症治療薬の研究開発に注力し、重点投資を続けている[302]。しかしながら、本原稿執筆時点では、まだ次のアルツハイマー型認知症治療薬の開発には成功していない。すなわち、注力分野で20年以上、新製品を出せていないのである。これはエーザイに限った話ではなく、アリセプトを含めてアルツハイマー型認知症の薬剤として承認されたのは、米国で4剤（作用メカニズムとしては2種類）しかない。

　一方、臨床開発での失敗プロジェクトは数多く、1998年から2017年の20年間で、米国で146件に上る[303]。アリセプトで培った研究開発の強みや販売チャネル、アルツハイマー型認知症の治療ニーズや患者数の増加を考えると、エーザイ経営トップが、アルツハイマー型認知症治療薬の研究開発に投資を続けるのは、戦略計画論的には正解である。しかし、新薬の研究開発は、病気の発症・進展の機序や、病気を治療できる可能性のある新たな生体メカニズムの発見、それを可能にする薬剤モダリティの技術開発などが進まない限り、実現することができない。特に、新薬の場合はそのハードルが高いケースが多く、認知症の場合でも、2013年に当時の米国オバマ大統領がBrain Initiativeを打ち出して脳研究への注力を宣言するなど[304]、多くの研究開発努力が成されてきたにもかかわらず、未だにアリセプトや他の承認薬剤を上回る効果を示す新薬は開発されていないのである。

　では、エーザイはアルツハイマー型認知症の研究開発から撤退したほうがよいのではないか、という議論もあろうが、2019年12月に、エーザイとバイオジェンが共同開発中のアルツハイマー型認知症治療薬アデュカヌマブが、認知機能の低下を2割ほど遅らせる効果を示し、米国で承認取得を狙うとの

302）認知症薬、まだ諦めない　エーザイ社長の執念　日本経済新聞　2019年7月25日
303）米当局承認4勝146敗過去20年、米で開発の認知症薬　日本経済新聞　2019年12月7日
304）The BRAIN Initiative　https://obamawhitehouse.archives.gov/BRAIN

ニュースが流れた[305]。このように、研究開発の難易度がきわめて高いが、一方で突如としてブレークスルーが生まれることもあり、その不確実性がきわめて高いのも、サイエンス・ベースド・イノベーションの特徴といえる。

このように見ていくと、サイエンス・ベースド・イノベーションでは、事前に社内の強みや市場環境を考慮して成長ベクトルを描いたとしても、その通りに製品やサービス開発などが進むとは限らず、戦略計画論はあまり馴染まないことがわかる。むしろ、現場が、イノベーションにつながりそうなサイエンスや技術の種を日々探索し、模索しながら上手くいきそうなことを試して、その学習のなかから注力すべきものを決めていく、learning by doing のやり方が望ましい。これは、サイエンスという、いつどこでブレークスルーが起こるのかわからない、そしてブレークスルーが起こる確率は低く、それを待っていても長期間起こらないこともある、といったきわめて先が読みにくいものを相手にしているが故である。

iPS細胞が開発されて、ES細胞が抱えていた倫理的問題をクリアした形で再生医療がめざせるようになったことや、ゲノム編集技術が発明されて、特定の遺伝子だけを修復した遺伝子改変食物がつくれるようになったことなど、誰が事前に予測できたであろうか？　それにもかかわらず、自社製品のポートフォリオや、市場の成長ポテンシャルだけを見て、この疾患領域に注力します、といった選択と集中の研究開発戦略を発表する製薬企業は多い。

サイエンス・ベースド・イノベーションでは、イノベーションにつながる可能性のあるサイエンスを理解するには高い専門性が必要であるし、サイエンスの動向を常に見ながら、応用のチャンスを正しく見極められる知識と経験がないと、たまにしか出現しないイノベーション機会を捉えることは難しい。また、現場の研究開発の試行錯誤のなかから、セレンディピティが発揮されてイノベーション機会が発見されることもあるだろう。いずれも、現場

305）本臨床試験は、一度有効性が示せずに中止の判断をしたが、追加データを加えて再解析したところ有効性が認められたもので、本書執筆時点ではまだ新薬承認が得られるかは不透明である、とされている。

で鍛えられ、日々専門性を培った研究者や、その分野の経験と見識を積んだ研究開発のミドルマネージャーでなければ、実効性の高い機会獲得は難しい。事業部門の創発的な取り組みに任せて、learning by doingの姿勢でイノベーション機会を追求させるマネジメントが、サイエンス・ベースド・イノベーションを志向する企業にはきわめて重要なのである。

　では、サイエンス・ベースド・イノベーションは現場の創発的取り組みに任せれば、すべて上手くいくのだろうか。創発戦略の弱点は、やるべき課題にメリハリが付きにくく、無駄に多角化する危険性があることである。創発的な取り組みから、サイエンスのチャンスを摑み、大きな利益をもたらすイノベーションに成功したときには、その機会を最大化するべきである。繰り返しになるが、サイエンスから応用可能な知識や技術がもたらされ、それが画期的な製品やサービスにつながることは稀であるうえ、予測しがたい。したがって、その機会を摑んだときには、価値最大化に力を注ぐべきである。特に、そのようなイノベーションが起こったときには、他社もキャッチアップして技術改良に取り組み始める。他社の改良製品やサービスによって、自社のイノベーションが置き換えられる前に、自社内で次の技術開発や改良に速やかに取り組み、イノベーションがもたらす波及効果を独占することに努めるべきである。こうした状況では、経営陣や本社が主導権をとって、トップダウンで選択と集中を進めたほうがよい。判断を現場に任せると、イノベーションに成功したチームや部門とそれ以外のチームや部門の間に、テンションや遠慮が発生して、成功プロジェクトやその周辺にリソースを集中させることが難しくなる。結果、他社の追随を許すなど、イノベーションの価値最大化が十分に図れなくなるのである。このような場合には、経営がリーダーシップを発揮して、成長の道筋を「計画」し、大胆なリソース配分や投資を実行すべきである。

2．リソース・ベースド・ビュー

　前述のポジショニングの考え方は、市場における製品や事業の競争優位性

をベースにしているが、それとは対照的に、企業の持続的な成長は、その企業が内部に保有している経営資源によって獲得できる、としたのが、リソース・ベースド・ビューの考え方である。ハメルとプラハラードは、他社には模倣が難しい自社特有の価値を提供する企業の中核的な力のことを、コア・コンピタンスと呼んだ[306]。バーニーは、強みとなる企業内部の資源を活用することが企業の競争優位に重要なことを述べ、その強みを分析する際のフレームワークとして、経済的価値（Value）、希少性（Rarity）、模倣可能性（Inimitability）、組織（Organization）の4つを挙げた（それぞれの頭文字を取ってVRIOフレームワークと呼ばれる）[307]。強みにできうる経営資源には、人材、技術力、専門能力、ブランド力、組織風土など、様々なものがあるが、自社が他社に対して優位性を維持できる何らかの経営資源を生かした経営を行えば、持続的な競争優位が保てる、というのが、リソース・ベースド・ビューである。

　この考え方は、サイエンス・ベースド・イノベーションを考察するうえで重要である。リソース・ベースド・ビューで重視される経営資源には様々あるが、そのなかでも研究力や技術力は重要なものの一つとして位置づけられている。前述のハメルとプラハラードの研究でも、ホンダのエンジンや動力機関での技術力や、キヤノンの光学技術に基づく幅広い製品での研究開発力を、コア・コンピタンスの例として取り上げている。サイエンスをイノベーションに活用するためには、周辺のサイエンスに対する高い専門性をもち、イノベーションにつながるサイエンスを確度高く見極める能力や、周辺知識を駆使して問題解決を図る能力などが求められるが、こうした専門能力は、高等教育での訓練とその後の研究経験や研鑽によって長期間に渡って獲得・形成されるものであり、希少性が高く模倣が難しい。そうした研究人材や、社内に蓄積された研究専門性は、まさにコア・コンピタンスといえる。

306）ハメル・プラハラード（1994）コア・コンピタンス経営,（邦訳 1995年 日本経済新聞社）
307）バーニー（2002）企業戦略論,（邦訳 2003年 ダイヤモンド社）

一方で、前述したように、サイエンスや先進技術は、どんなものがこれから出現して、技術や製品のパラダイムシフトを起こすのかは、予測が難しい。第6章で述べた破壊的技術によるS字ジャンプが起こる場合は、それまでの技術や知識基盤が通用しなくなることも多いだろう。第1章で振り返ったとおり、IT産業では、70〜80年代には半導体・デバイスが巨大市場となり、パーソナルコンピュータの普及によってソフトウエア産業も栄えたが、90年代後半からは、インターネット技術の普及によって、検索サービスやe-コマースを事業とする新たなプラットフォーマーが現われ、2005年頃からはクラウドコンピューティングの普及、2010年代にはAI技術の台頭など、イノベーションの基盤とすべき科学知識や技術自体がどんどん変遷している。製薬産業では、1990年代の終わりから抗体医薬品の上市が始まり、それまで数十年に渡って低分子化合物による創薬に強みを蓄積してきた多くの製薬企業が、軌道修正を迫られる事態となった。

　このように、自社の研究開発基盤の強みに依存した戦略にこだわりすぎると、破壊的イノベーションへの対応が遅れるという欠点が、特に日進月歩の先端サイエンスや技術を扱う領域では起こりうるのである。誤解がないように述べると、前述のハメルとプラハラードの著書では、未来の市場変化を予測することの重要性と、それに合わせて自社の技術力を外部連携も含めて多角的に拡げていくことの重要性にふれており、リソース・ベースド・ビューの考え方は、科学や技術の変化への柔軟性を否定するものではない。しかし、実務の現場では、「自社のコア・コンピタンスは何か」「コア・コンピタンスを生かした戦略を組むべき」といった声をしばしば聞くが、これは往々にしてそれまで自社内に蓄積された研究基盤や強みのある技術を同定し、それに立脚した製品・サービス開発に注力すべき、といったニュアンスのものが多い。

　創発戦略の項（p.187）で述べたように、サイエンス・ベースド・イノベーションの場合、その源泉となるサイエンスの発見が期待通り出現するとは限らず、逆に予想外の発見や発明から、予期しなかったイノベーションのチャンスが突如出現することもある。その不確実性を十分に考慮し、自社の研究

や技術の強みを最大限生かす方法を常に意識しつつも、それまでに培ってきた社内基盤にこだわりすぎない柔軟な戦略思考が、サイエンス・ベースド・イノベーションには求められるのである。

3．オープン・イノベーション

　科学技術の進歩が速く、かつ多様化し、産業のサイエンス化や異なるサイエンスの融合によるイノベーション、ディープテックによる新市場創造が起こる環境下で、企業が手掛けたい科学技術や製品・サービスのポートフォリオを、すべて自社内でまかなうことは、もはや不可能である。このため、社外からアイデアや技術、製品等を獲得し、企業の成長につなげるオープン・イノベーションは、サイエンス・ベースド・イノベーションを行う企業にとって必要不可欠な概念となった。ここでは、オープン・イノベーションについての理論的枠組みから、その実践における様々な課題や最近の動きなどを、包括的に解説する。

概　念

　オープン・イノベーションという言葉を最初に使ったのは、2003年に当時ハーバード大学助教授であったチェスブロウである。チェスブロウは、「企業が技術革新を続けるために、企業内部のアイデアと外部のアイデアを有機的に結合させ、価値を創造すること」を、オープン・イノベーションと名づけた[308]。用語の登場からまだ20年弱であるが、オープン・イノベーションという言葉は広く知れ渡り、現在では企業戦略や一般の新聞等にも頻繁に登場する単語となった。その意味は、当初チェスブロウが定義したものとはやや異なった意味合いで使われるケースが多いと感じられる。すなわち、自前でモノやサービスを研究開発するのではなく、社外のアイデアや技術などを取り入れて活用するのがオープン・イノベーションであるが、社外からアイデ

---

308) Chesbrough H,（2003）Open Innovation, Harvard Business School.

アを取り入れるところに重点が置かれ、本来意図されていた、企業内部のアイデアと有機的に結合させる、という部分は、やや関心が払われていないように思われる。

　チェスブロウ自身、2006年の著書では、オープン・イノベーションの定義をやや変更し、「企業が自社のビジネスにおいて社外のアイデアを今まで以上に活用し、未活用のアイデアを他社に今まで以上に活用してもらうこと」、としており[309]、その後のオープン・イノベーションの実践は、社内外間のアイデアや知識、技術のフローを活発化させることに注力されてきたきらいがある。

　それはさておき、オープン・イノベーションという言葉が登場する前から、サイエンス・ベースド・イノベーションでは、産学連携や企業間連携などを通じて社外のアイデアや技術を社内の製品・サービス開発に活用することは広く行われてきた。しかし、自前主義での研究開発にこだわらず、社外の知識や技術を積極的に活用しよう、という考え方をキャッチーなフレーズで明示化し、社外との連携の重要性を多くの企業にあらためて気づかせた、という意味で、本用語の広まりは、企業経営に一定のインパクトを与えたといえる。

　図9（次頁）に、チェスブロウが最初に提唱したオープン・イノベーションの概念図を、サイエンス・ベースド・イノベーションに合わせて一部改変した図を載せた。この図や、前述のチェスブロウの2006年の定義からもわかるように、オープン・イノベーションは、社外からアイデアや技術を取り入れる場合もあれば、社内のアイデアを社外に出して研究開発を進める場合もある。前者はインバウンド型、後者はアウトバンド型と呼ばれる。また、研究段階でのアイデアや技術の取り込みや外出しもあれば、開発段階でのプロジェクトの取り込みや外出しも指しており、その定義する範囲は広い。

---

　309) Chesbrough H, Vanhaverbeke W, West J, (Eds.), (2006) OpenInnovation: Researching a New Paradigm. Oxford University Press, Oxford.

図9　オープン・イノベーションの模式図

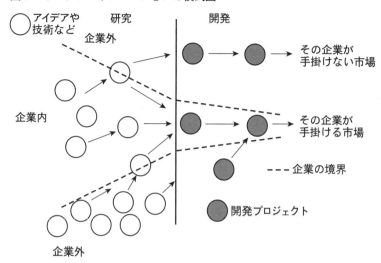

「OPEN INNOVATION―ハーバード流イノベーション戦略のすべて」（産業能率大学出版部，2004年）に掲載の図をもとに筆者作成

オープン・イノベーションの類型

では、オープン・イノベーションを活用して、具体的にはどんな科学知識や技術、製品などが取り引されているのであろうか。製薬業界を例にとって、もう少し詳しく見てみよう。

新薬研究開発は、医薬品候補化合物を同定するまでの研究段階と、同定された医薬品候補化合物をヒトで効果や安全性を確かめる臨床開発段階に分けられる。このうち、研究段階で製薬企業が行うオープン・イノベーションは、主にインバウンド型である。日本の製薬企業を対象に、1980〜2012年の間に外部連携で獲得した科学知識や技術を調査した結果では、研究段階では、医学生理学的の基礎研究から得られる生体メカニズムや分子の情報、有機合成の知識、既知物質の新規な薬理作用の情報、といった科学知識が獲得されていた。また、生物学的アッセイ法、バイオテクノロジー技術、医薬品送達技術、コンピュータドラッグデザインといった創薬に活用される基盤技術が獲得されていた。また、医薬品候補化合物を取得するための出発点となるリー

ド化合物も、低分子、蛋白やペプチド、遺伝子治療と幅広く獲得されていた[310]。一方、開発段階では、医薬候補化合物の導入が、開発初期から後期まですべての段階で見られ、対象とした製薬企業が同時期に臨床開発した医薬候補化合物のうち、社外から導入したものは25％を占めていた[311]。研究段階で獲得された科学知識や技術は学術研究機関から、医薬候補化合物は学術研究機関と他の製薬企業やバイオベンチャーから獲得されていた。

このように、研究の上流から開発後期段階まで、様々な科学知識、技術、製品候補が、インバウンド型のオープン・イノベーションによって製薬企業に取り入れられていることがわかる。一方、開発段階では、アウトバウンド型オープン・イノベーションも行われている。製薬企業間で、医薬候補化合物のアウトライセンスや共同開発が活発に行われている[312]。このように、医薬品産業では、研究の源泉となる基礎研究からの科学知識や技術、研究を進めるための基盤的技術、製品候補などが、産学連携や企業間連携を通じて活発に取り引きされ、開発段階ではインバウンド型とアウトバウンド型の両方向で取り引きが行われる。

上記の筆者らの研究からは、こうした取り引きは、オープン・イノベーションというワードが提唱される遙か以前から、製薬業界では頻繁に行われており、2000年代以降のオープン・イノベーションの潮流に乗って活性化されたものではないこともわかった。サイエンス・ベースド・イノベーションは、科学知識や技術がイノベーションの源泉となり、先進サイエンスの不確実性

---

310) Okuyama R, (2015) The types of scientific information and technologies acquired from university-industry relationships in the Japanese pharmaceutical industry-An empirical study from 1980 to 2012. International Journal of Technology Transfer and Commercialisation, 13 (3/4), pp.178-191.

311) Okuyama R, Osada H, (2014) Acquisition of drug candidates in New Drug Development in Japan. Proceedings of Portland International Center for Management of Engineering and Technology (PICMET)'14, pp.3605-3611.

312) Bianchi M et al., (2011) Organisational modes for Open Innovation in the bio-pharmaceutical industry: An exploratory analysis. Technovation, 31, pp.22-33.

ゆえ開発のリスクも高いため、大学や他企業との知識、技術、製品候補の取り引きが活発に行われるという性質をそもそも内包しているともいえる。

オープン・イノベーション推進の背景

　オープン・イノベーションがサイエンス・ベースド・イノベーションにおいて注目を集めるようになったのは、産業の変化のスピードが速まるなか、社内に蓄積した知識や技術力を生かした自前主義の研究開発だけでは、限界がきたことがあげられる。米大手製薬企業のメルクは、長年に渡って自社に強力な創薬研究所を有し、自社で研究されたものでなければ時間を使うのが無駄、というくらいの自前主義であった[313]。これはNot invented here症候群と呼ばれ、自社研究開発にこだわる企業の代名詞として使われてきた。しかし、メルクは2000年代からオープン・イノベーションに大きく方針転換し、近年は、HP上で社外の研究者に広くコラボレーションを呼びかけるなど、オープン・イノベーション機会を積極的に探索している[314]。このように、技術や業界環境の変化に対応するため、自前の研究開発力を誇ってきた企業でさえ、オープン・イノベーションに舵を切る例が2000年代から増えてきている。

　メルクがオープン・イノベーションに方向転換した背景として、製薬業界の自社研究開発モデルの行き詰まりがあった。これは、1990年代までは有機合成でつくられる低分子化合物の医薬品からブロックバスターが生まれたが、つくりやすい薬はつくられてしまい、また規制当局の安全性の基準が厳格化し、従来型の創薬のやり方に限界が見えてきたことによる。また、それまでの収益源であったブロックバスター医薬品が特許切れを迎え、一方で抗体医薬品などのバイオ製品が成長し、研究開発モデルの早急な転換が必要となったことがある[315]。このように、技術や研究開発方法論の変化に伴って、新た

---

313) "Not Invented Here" Fast Company Magazine 2007年3月15日
314) Merck HP
　　https://www.merckgroup.com/en/research/open-innovation/biopharma-open-innovation-portal.html
315) 米倉・清水（2015）オープン・イノベーションのマネジメント, 第9章, 有斐閣

な知識や技術に基づいた製品・サービス開発に速やかに転換する必要がある場合、吸収能力の養成（第11章参照）では対処できず、オープン・イノベーションが有効となる。

探索と活用

　オープン・イノベーションは、大企業にとって、第6章でふれた「イノベーションのジレンマ」への対策としても有効である。破壊的イノベーションへの対応については、第11章に詳しく述べるが、大企業は、往々にして自社が優位性をもつ技術の改善に力を入れすぎて、その技術を用いた製品やサービスを置換してしまうような破壊的イノベーションへの対応が遅れる。これは、破壊的イノベーションにつながる新技術は、黎明期にはまだ性能が不十分で、将来において既存技術を置換する脅威を予測しづらいことが一因としてある。

　このジレンマに対抗し、市場の環境変化に柔軟に対応して企業が生き残るためには、自社に強みをもつ技術や製品・サービスを深耕する活動と、新たに出現する新技術を探索して破壊的技術に育ちそうなモノに手をつけておく、という活動を、並行して行う必要がある。スタンフォード大学のマーチは、企業が新たな技術機会を探索する能力と、既存の知識や強みを活用して事業に生かす能力の両方を身につけることが、企業の中長期的な成長に重要であると提唱した[316]。この「探索」と「活用」をバランスよく行うことを、両利きの経営（Ambidexterity）と呼ぶ。

　イノベーションのジレンマは、この「活用」活動に、大企業は集中しすぎ、「探索」がおろそかになることで起こる、と考えることができる。企業内部に、主要な収益源となる技術や製品・サービスがあると、その改良や深化にリソースが投じられ、将来その市場を脅かすことになるかもしれない対抗技術への投資は、どうしても後回しになりがちである。その対策として、オープン・イノベーションによって破壊的技術の機会を社外に探索し、社内の「活用」

---

316) March JG, (1991) Exploration and Exploitation in Organizational Learning. Organization Science, 2 (1), pp.71-87.

活動とはバッティングしにくい形で、新技術を検討するのはよい方法だろう。破壊的技術のアイデアは、大学等公的研究機関や、ベンチャー企業で生まれることが多い。したがって、萌芽的な知識や技術機会を探り、破壊的イノベーションに備えるために、オープン・イノベーションは重要となる。

オープン・イノベーションに適した組織

　企業のなかでオープン・イノベーションを実践するには、組織体制をどうするかが一つの課題である。オープン・イノベーションが広がり、社内にオープン・イノベーションの名前を冠した部署が新設された企業も多いだろう。オープン・イノベーションに特化した組織をつくり、そこに社外の探索活動を任せる、というのが一つのやり方である。探索と活用の項で記したように、破壊的イノベーションとなりうる新技術の取り込みは、既存技術・製品・サービスの深化に投資する社内の活動とバッティングする。両者のテンションゆえ、オープン・イノベーションによる技術獲得が上手くいかない場合があるだろう。

　それを防ぐには、社内で持続的イノベーションを行う部署とは独立の組織をつくり、そこにオープン・イノベーション活動を行わせるのが合理的である。別組織は、社内の既存知識や技術にしがらみをもちにくいため、将来社内技術を駆逐する可能性のある技術であっても、ポテンシャルがあれば検討できるだろう。破壊的イノベーションのタネを見つけるには、そのマインドのほうが好ましいし、企業もオープン・イノベーション部署には一定の権限を与え、社内の技術・製品戦略とは独立した活動を認めるべきである。

　一方、オープン・イノベーション専門組織に活動を任せた場合のデメリットとして、専門性の問題がある。萌芽的な社外のサイエンスや技術を探索して、その価値を見定めるためには、その技術分野に対する専門知識の蓄積が必要とされる。探索メンバーが、サーチする知識や技術に対して必ずしも高い専門性を有しているとは限らず、新技術のポテンシャルが高くないのに、それを十分認識できずに獲得してしまう、またはポテンシャルが高いのに捨ててしまう、ということが起こると、オープン・イノベーション活動の質が

低下する。その際に、社内の現場で周辺技術に詳しい社員にその都度意見を仰ぐようになると、社内研究活動とのバッティングが生ずるため、意見は（その技術の真の可能性よりも）後ろ向きになることが懸念され、せっかく独立性のある組織にした意味がなくなってしまう。

　社外の技術コンサルタントやキーオピニオンリーダーに意見を聴取する、というのはひとつの方法だが、将来的に自社にとって既存製品・サービスを脅かす可能性がどの程度あるかについて、高いレベルで判定するには、自社製品や技術への深い理解と、製品・サービス開発への勘所が必要で、社外でコンサルティングの立場にある人たちに、どれだけ当事者意識のある現実に即した意見をもらえるかは、疑問な場合もあるだろう。

　社内で持続的イノベーションを担う部署に、オープン・イノベーション専門スタッフを配置して、同一部署で社外探索と社内活用の両方をやらせることは、ひとつの解決策になり得る。社内の研究開発活動を行うメンバーが、社外の破壊的技術やイノベーションの探索を同時に行うと、どうしても社内で進めているプロジェクトが優先になるが、部署内でオープン・イノベーションを担当するメンバーと、社内研究開発を行うメンバーを分けると、探索の独立性が保てる。部署長は、社内研究開発から持続的イノベーションが出ても、オープン・イノベーションから破壊的イノベーションが出ても、自部署の成果になるので、両者をフラットに比較して、良い方をとって進められる。社内活動を行うメンバーも、自部署の成果に貢献すると自身の評価にもなるので、部署が分かれている場合よりは、オープン・イノベーションスタッフに対してバイアスのかからないアドバイスができるだろうし、部署長レベルでバイアスはコントロールすることもできるだろう。加えて、これはアウトバウンド型のオープン・イノベーションにも効果的である。

　社内で先に進めるのが難しいプロジェクトであっても、市場価値があれば、他社に導出したり、外部ファンドを見つけて社外で開発したりすることができるが、プロジェクトメンバーは思い入れがあるので、自社開発にこだわったり、社内で機会が生まれるまでお蔵入りにしたりしがちである。一方、部署内にオープン・イノベーション専門スタッフがいれば、社内で止まったプ

ロジェクトをお蔵入りさせるよりは、社外に導出などができると、部署としての成果になるので、部署長はオープン・イノベーションスタッフを動員して、積極的にアウトバウンド型オープン・イノベーションを行うはずである。このように、社内研究開発機能とオープン・イノベーション機能の両方を同じ現場部署にもち、部署内で機能を分ける、という形をとることで、両機能間のテンションを下げてオープン・イノベーション活動をスムーズに行える可能性がある。

オープン・イノベーション仲介システム

　サイエンス・ベースド・イノベーションにおいては、最新のサイエンス知見や先進技術を、社外からオープン・イノベーションで獲得することが重要である。第9章で述べたように、サイエンス・ベースド・イノベーションにおいては、知識や技術の源泉となるアカデミア研究機関や、イノベーションの最初の担い手となることが多いハイテクスタートアップが、同一地区に集まってクラスターを形成することが多い。ITにおけるシリコンバレーや、バイオにおけるボストンやサンフランシスコが有名である。こうしたサイエンス・ベースド・イノベーションのステークホルダーたちが、地理的に近接したなかでエコシステムを形成し、地域や技術、製品プロトタイプなどの取り引きを行っている。そこには、その取り引きを促進や仲介する仕組みが存在し、そのシステムを使いこなすことが、サイエンス・ベースド・インダストリーにおけるオープン・イノベーションには重要となる。

　例えば、ボストンにはイノベーションディストリクトという特別地区が設けられており、そこには多くのスタートアップに支援を行うアクセラレーターであるMassChallengeや、コワーキングスペースのWeWork、ゼネラル・エレクトリックなどの大企業やバブソン大学等が拠点を置いており、起業家やスタートアップも多く流入している[317]。MITは、MITイノベーション・イニシアチブを設け、起業家育成、スタートップと企業の連携促進、アクセ

---

317) Japan Open Innovation Council, オープンイノベーションに関する調査レポート

ラレーター機能、企業支援などを行っている[318]。MITに隣接する地区には、ケンブリッジイノベーションセンターがあり、IT系などのスタートアップや大企業、投資家などが集積している[319]。

サイエンスパークをつくり、企業や大学研究者のコラボレーションを促進する動きも盛んである。オランダのフィリップスは、アイントホーヘンにハイ・テク・キャンパスと呼ばれるサイエンスパークをつくり、大企業やスタートアップを多数誘致している[320]。日本にも、欧米より規模が小さいものの、自治体や企業が運営するサイエンスパークが存在しており、企業や大学が参加している。

オープン・イノベーション仲介業者も出現している。ナインシグマは企業など顧客の探索ニーズを吸い上げ、ソリューションを有する企業や大学研究者などを探して紹介するサービスを展開している[321]。イノスピンは、企業とアカデミアのニーズとシーズをマッチングさせるサービスを行っている[322]。クラスターやサイエンスパークに拠点を設けるとなると大がかりになるが、個別の技術ニーズなどは、こういった仲介業者に依頼して気軽に相手方を探すことができるし、地理的な制約を受けずに世界中のシーズを探索できるので、幅広い機会の探索にも向いているだろう。

技術系ベンチャーとの連携は、企業が自己資金をもとにしてコーポレートベンチャーキャピタル（CVC）を設立し、テクノロジー関連のスタートアップに投資するやり方もある。特にIT企業が活発に実施しており、インテルやグーグル、クアルコム、シスコなどは、投資額の大きいCVCを運営している。投資先のベンチャーが成長すると、最終的に傘下に入れる例もある。技術の急速な変化に対応するには、スタートアップに広く投資し、外部で技術をインキュベートするのは賢いやり方であるが、技術や企業に対する目利きがないと投資の回収が難しくなるため、リスクもある。

318）https://innovation.mit.edu/
319）https://cic.com/
320）https://business.nikkei.com/atcl/opinion/15/278976/082400016/?P=2&mds
321）https://ninesigma.co.jp/
322）https://www.inospin.com

第11章
サイエンス・ベースド・イノベーションと技術戦略

1. 吸収能力（Absorptive Capacity）

　サイエンス・ベースド・イノベーションでは、多くの場合アカデミア研究機関で発見・発明された新たな科学知識や技術が、イノベーションの源泉となるため、イノベーションをめざす企業は、そのタネを最新の学術研究から得ることになる。それ故、先端のサイエンス研究を正しく理解し、そのなかから応用ポテンシャルがあるものを見極めて、商業化研究に活用していくことが必須となる。

　あるいは、ディープテック・スタートアップに投資したり、連携や買収したりする場合、そのスタートアップが扱う技術の内容や科学的背景を、しっかり見極められないと、適切な投資や連携・買収先を決定することができない。

　裏返すと、せっかくイノベーションに繋がりうる新たな科学知識や技術が社外で生み出されても、それを理解吸収できなければ、他社に先駆けた製品化やサービスへの活用はできない。すなわち、社外の新たな科学知識や技術情報の価値を認識し、それを製品やサービス開発に活用する能力が、サイエンス・ベースド・イノベーションをめざす企業には必須となる。この能力のことを、吸収能力（absorptive capacity）という。

概　念
　吸収能力の概念は、1990年にコーエンとレビンサールが提唱したのが始め

である[323]。彼らは、「企業が新たな外部情報の価値を認識し、それを吸収して商用目的に活用する能力」を吸収能力と定義した。吸収能力は、まず個人レベルで必要である。事前に周辺知識を深い強度で身につけることで、新たな関連知識の学習が促進される。すなわち、関連分野の学習や研究を積んで専門性を身につけた人は、新たな知識を理解しやすいということである。大学院などで専門性の高い教育や研究経験を積むと、その分野の新たな発見や発明を論文等で読んで理解できるし、その価値も判断できる、といえばわかりやすいだろう。個人レベルの吸収能力が足し合わさって組織の吸収能力になるが、その際、個人間に専門知識の重なりが一部あり、一部は異なる、という程度のオーバーラップがあると、コミュニケーションが促進されて、組織としての吸収能力は一番高まる。個人間の専門知識の範囲の違いを、認識距離（cognitive distance）と呼ぶが、企業が技術連携を行う場合に、連携相手との認識距離と、企業のパフォーマンスはU字型の関係を示すという[324]。すなわち、お互いの専門性が重なりすぎていると連携をしても相手から得るものが少なく、一方でお互いの専門性が違いすぎていると、相手側の知識を十分理解できず、吸収できない、ということである。

　同様のことは組織内でも起こり、メンバー間に適度な専門性のオーバーラップがあると、組織としての吸収能力が高まりやすい。すなわち、大学院等で、似ているが少し違う領域の研究をしてきた研究者たちを雇ってチームを組ませると、組織としての研究パフォーマンスが上がることになる。このようにして組織内に蓄積される吸収能力は、企業ごとに特色があり、その企業が行ってきた研究開発の内容やその経緯に依存するので、容易に模倣ができない。それ故、企業の競争力になる、というのが、吸収能力の理論である。

　ザーラとジョージは、吸収能力には、外部知識を獲得してそれを理解して

323) Cohen WM, Levinthal DA, (1990) Absorptive capacity: A new perspective on learning and innovation. Administrative Science Quarterly, 35, pp.128-152.
324) Nooteboom B, Haverbeke WV, Duysters G, Gilsing V, Oordc A, (2007) Optimal cognitive distance and absorptive capacity. Research Policy 36 (7), pp.1016-1034.

自分のものにするPotential absorptive capacity（潜在的吸収能力）と、獲得した知識を組み合わせて活用し、新たな価値創造につなげるRealized absorptive capacity（実現化吸収能力）があるとした[325]。すなわち、外部知識をただ理解するだけではダメで、それを製品化等につなげられる能力もまた、吸収能力の一部である、という考え方である。大学等で行われる科学研究は、真理の追究を一義的な目的として行われることが多いし、技術開発も、何か明確な製品やサービスの開発を念頭においてされることは少ない。したがって、その研究内容をただ理解できるだけでは、イノベーションにはつながらず、それからもう一歩、その獲得した知識をどう応用して商業価値のあるものに結びつけていくかがわからないといけない、ということである。ジッテルマンとコグトは、バイオ分野では、サイエンスを理解するだけでなく、それを製品開発に橋渡しすることで、サイエンスとイノベーションのギャップを近づける bridging scientist が重要と述べている[326]。

　吸収能力は、投資を止めると失われる性質ももつ。ある領域の専門性を組織内に築くには、研究の蓄積や専門人材の育成に長い期間がかかるため、組織として一度専門性を失うと、取り戻すのが難しい。科学技術の進歩は速いため、吸収能力向上のための企業努力をいったん怠ってしまえば、その領域の技術機会に気づく可能性が減り、価値判断のための理解力も落ちてしまう。それ故、企業の競争優位に重要な組織能力といえるのである。

吸収能力と企業パフォーマンスの関係

　では、吸収能力の向上は、実際に企業の業績と関連するのであろうか。化学や電子機器などの産業では、古くから自社内で基礎研究を行っており、その理由としては、最初に知識を発見することで先行者利益が得られること、

---

325) Zahra SA, George G, (2002) Absorptive capacity: A review, reconceptualization, and extension. Academy of Management Review, 27 (2), pp.185-203.

326) Gittelman M, Kogut B, (2003) Does good science lead to valuable knowledge? Biotechnology firms and the evolutionary logic of citation patterns. Management Science, 49 (4), pp.366-382.

基礎研究の知見が応用研究での問題解決に役立つこと、などと並んで、社外の知識を容易に獲得できるようになることが指摘されていた[327]。優れた企業は、基礎研究に投資することで、社外から入ってくる知識に効率よくアクセスして、社内の応用研究に活用できることが示されている[328]。

　サイエンス・ベースド・インダストリーの代表格である製薬産業では、吸収能力と企業パフォーマンスの間に正の相関があることが、様々な研究から示されている。企業の吸収能力は、その企業が基礎研究に投じている費用や、アカデミア学術機関との連携を代理指標にして測定されることが多いが、製薬企業の基礎研究への投資は、その企業の特許出願に正に影響することが、複数の研究で報告されてきた[329]。

　ファブリジオは、製薬やバイオテクノロジー企業を調査した結果から、社内において、より基礎研究を行い、大学研究者とよりコラボレーションを行っている企業は、製品開発に公的な科学研究をより活用しており、また新たな科学知識を製品開発に活用するまでのタイムラグがより短いことを示した[330]。すなわち、基礎的な研究に力を入れることで、製品開発に活用するための知識探索の質とスピードの両方が向上する、ということである。このように、1990年の吸収能力概念の発表以来、吸収能力と企業のパフォーマンスの関係を多くの経営学者が検討し、企業が吸収能力を強める努力をすること

---

327) Rosenberg N, (1990) Why do firms do basic research (with their own money)? Research Policy, 19, pp.165-174.

328) Cassiman B, Perez-Castrillo D, Veugelers R, (2002) Endogenizing know-how flows through the nature of R&D investments. International Journal of Industrial Organization, 20, pp.775-799.

329) Czarnitzki D, Thorwarth S, (2012) Productivity effects of basic research in low-tech and high-tech industrie. Research Policy, 41, pp.1555-1564.
Gambardella A, (1992) Competitive advantage from in-house scientific research: the US pharmaceutical industry in the 1980s. Research Policy, 21, pp.391-407 など

330) Fabrizio KR, (2009) Absorptive capacity and the search for innovation. Research Policy, 38, pp.255-267.

で、実際に特許出願や製品開発といった企業のイノベーションアウトプット
が高まることを、実証的に示してきたのである。

吸収能力を発揮する企業人材―トシリズマブ創製の事例―

　上に紹介した研究結果は、企業を総体として見て、その企業が行った研究
開発投資や外部連携数、企業が出願した特許数などの数字から、吸収能力と
企業業績の関係を見ている。では、実際にサイエンス・ベースド・イノベー
ションをめざす企業の現場において、吸収能力はどのように醸成され、発揮
されているのであろうか。よりミクロレベルな視点から、事例を見てみよう。
　ここでは、サイエンス・ベースド・イノベーションの典型例である革新的
新薬創製の事例を取り上げる[331]。着目するのは、研究者個人レベルでの吸収
能力である。吸収能力には、個人レベルと組織レベルのものがあると述べた
が、組織の吸収能力は、個人の吸収能力が有機的に連結して構築されるため、
前述の知識の重なり具合などの要素が加わり、その形成過程をプロセスとし
て可視化するのは難しい。ここでは、よりシンプルに、個人としての企業研
究者が吸収能力をどう身につけ、それがどうイノベーションへと反映された
かを観察する。なお、創薬においては、研究を中心的にリードする研究チャ
ンピオン的な研究者が、プロジェクトの成功に大きな役割を果たすといわれ
ているため[332]、個人レベルの吸収能力に焦点を当てることは妥当である。

【事例：抗ヒトInterleukin-6（IL-6）受容体抗体トシリズマブ】

　IL-6は免疫・炎症反応等で重要な役割を果たすサイトカインと呼ばれる
蛋白であり、B細胞の抗体産生細胞への分化促進や、ケモカインの産生促
進等、様々な生理作用を有している。IL-6は、IL-6受容体を介してシグナ

331）本事例研究についてはOkuyama R, Tsujimoto M, (2020) Importance of drug
　　target selection capability for new drug innovation: definition, fostering process
　　and interaction with organizational management. Prometheus, 36 (2), 135-152
　　を参照のこと。
332）桑島（2006）不確実性のマネジメント，日経BP社

ルを伝達し、生理作用を発揮する。トシリズマブは、このIL-6受容体に結合して、IL-6からのシグナル伝達を抑制するモノクローナル抗体であり、代表的な自己免疫疾患である関節リウマチを主な適応症とする自己免疫疾患治療薬である。国産メーカーが自社創製した初の抗体医薬品であり、2019年の売上げは1,000億円を超えるブロックバスター薬である[333]。

トシリズマブの研究開発プロセス[334]（敬称略）

　トシリズマブの創製に中心的な役割を果たしたのは、中外製薬に在籍していた大杉博士である。大杉がIL-6について知ったのは1986年であるが、大杉は中外製薬に入社して程ない1970年頃から、自己免疫疾患治療薬の研究を開始している。その後、大杉は様々な自己免疫疾患治療薬の薬理研究に従事した。70年代には、後にリウマチ治療薬として上市されるロベンザリットの研究に関わり、多くの文献検索からヒントを得て、当時わかっていなかったロベンザリットの作用メカニズムを明らかにした。ロベンザリットは、免疫を抑制する抑制性T細胞の働きを高めることで、治療効果を発揮していた。しかし、ロベンザリットはリウマチ患者への効果が十分でなく、より良い治療効果を有する次のリウマチ治療薬が求められた。

　大杉は、1978年にカリフォルニア大学のガーシュウィンのもとに留学し、免疫担当細胞の働きと自己免疫疾患の関わりについて研究を行った。当時、T細胞の研究が盛んであったが、大杉はB細胞の過剰な活性化が自己免疫疾患の原因ではないかとの新たな仮説を検討する実験に取り組み、遺伝子操作を行った動物を用いた実験等から、自己免疫疾患の発症にT細胞でなくB細胞機能が関与することを証明した。この研究結果から、大杉はB細胞機能の抑制が自己免疫疾患の根本的な治療法になると考えた。

333）中外製薬HP
　　https://www.chugai-pharm.co.jp/ir/finance/revenue_product.html
334）研究開発プロセスは、大杉（2013）新薬アクテムラの誕生，岩波書店 や、本文中に引用した資料に加え、筆者が大杉博士に2回に渡って実施したインタビュー（各回約2時間）より詳細化している。

「B細胞を制御する薬剤が根本的な自己免疫疾患治療薬になるのではないか」[335)

　このアイデアに対し、ガーシュウィンは「B細胞を抑制すれば患者は免疫不全に陥るだろう」と述べたという。しかし大杉は「既存の免疫抑制剤は免疫細胞全体に作用するので、B細胞を選択的に抑制するなら副作用が少なく薬剤には適するはずだ」と考えたという[336)。リウマチ等の自己免疫疾患には、メトトレキセートなど免疫細胞全体の働きを抑制する薬剤が中心的に処方されており、そのメカニズムに比べてB細胞だけに作用させるほうが安全性は高いと考えたのである。

　帰国後に大杉は、新規自己免疫疾患治療薬をめざして、直接B細胞の機能を阻害するB細胞阻害薬の探索を開始した。

　「私は『サープレッサーT細胞じゃない。これからの抗リウマチ剤は直接B細胞に働きかけるものですよ』という話をみなさんにお話しして、『じゃあ、それで行こう！』ということになったんです」[337)

　当時そうした作用をもつ化合物の評価系は確立しておらず、試行錯誤しながら探索を続けたが、B細胞阻害化合物は見出せなかった。

　大阪大学の岸本教授ら（当時）は、B細胞の分化に関わる生理活性物質を、医学基礎研究として追求していた。1986年、岸本らは、自己免疫疾患様の症状を呈する心房内粘液腫患者のサンプルから、B細胞分化促進因子としてIL-6を同定したことを発表した。大杉はその発表を聞いて、「IL-6阻害剤がB細胞をコントロールできる革新的な自己免疫治療薬になる」、すなわち、IL-6がB細胞を活性化させている物質で、IL-6阻害こそが自分たちの探しているB細胞阻害薬になりうる、と直感したという[338)。大杉は

335) 大杉（2013）新薬アクテムラの誕生, 岩波書店, p.21
336) 同上
337) Nikkei Business Online June 16 2010.
　　http://business.nikkeibp.co.jp/article/tech/20100607/214809/
338) 大杉（2013）新薬アクテムラの誕生, 岩波書店, p.34

すぐにIL-6阻害薬の研究を岸本に提案した。当時IL-6が自己免疫疾患治療薬の創薬標的になるという発想は容易に得られるものではなく、IL-6の基礎研究を岸本研で中心に担当していた平野は、後に「2000年にIL-6のシグナルを変異させた遺伝子改変マウスが関節リウマチ様症状を自然発症するという研究成果が得られるまで、IL-6が自己免疫疾患の要因になるとは確信できなかった」との旨を述べている[339]。大杉自身も「心房内粘液腫患者から得られた知見しかないこの時点で、IL-6阻害剤が自己免疫疾患の薬になるとの発想を抱き阻害剤探しを敢行することを思い立ったものはそう多くはいなかったであろう」[340]、「心房内粘液腫において認められる自己免疫疾患の症状に関係があることははっきりしましたが、では、関節リウマチという病気とIL-6がどれくらい関係しているのかということは、その論文からは読み取れないですよ」[341]と述べており、実際岸本へのIL-6阻害に関する共同研究の打診は中外製薬以外からはなかった[342]。岸本らは大杉らの自己免疫疾患研究のレベルの高さが気に入り、共同研究を受け入れたという。

　共同研究開始後、岸本らはIL-6受容体を介したIL-6のシグナル伝達機構を次々と明らかにしていった。一方大杉のグループは阻害薬探索に入力し、IL-6受容体を阻害抗体でブロックすることでIL-6シグナルを遮断するアプローチを考えた。岸本らが研究目的で作成した抗IL-6受容体抗体を大杉らがマウスに投与したところ、自己免疫反応を抑制することがわかった。本抗体は、中外と英国MRC研究所の共同でヒト適用のための改変が行われ、トシリズマブが創製された。トシリズマブは動物試験で薬効と安全性が精

339) 日本インターフェロン・サイトカイン学会編（2010）サイトカインハンティング, 京都大学学術出版会, p.163
340) 大杉（2013）新薬アクテムラの誕生, 岩波書店, pp.35-36
341) Nikkei Business Online June 16 2010.
　　http://business.nikkeibp.co.jp/article/tech/20100607/214809/
342) 岸本・中嶋（2009）新・現代免疫物語「抗体医薬」と「自然免疫」の驚異, 講談社, p.121

査された後、臨床試験でヒトへの効果と安全性が確認され、上市されるに至った。

　この事例において、革新的新薬の発想の源となった基礎研究成果が、創薬応用へと活用されたのは、中外製薬で本研究の中心的役割を担った大杉が、岸本グループのIL-6同定の発表を聞いて、この因子がB細胞阻害剤の直接標的となるB細胞活性化因子であり、IL-6の働きを抑制することで自己免疫疾患治療薬になる、と気づいたからであった。大杉には、吸収能力、すなわち「企業研究者が新たな外部情報の価値（この事例ではIL-6の発見）を認識し、それを吸収して商用目的に活用する（この場合はIL-6シグナル阻害をメカニズムとした自己免疫疾患治療薬の創製）」能力が、備わっていたといえる。それは、大杉が中外製薬に入社以来、長年に渡って自己免疫疾患治療薬の研究を続け、留学先で、自己免疫疾患の要因がB細胞にあることを突き止め、B細胞の作用を阻害する創薬標的を探索していたからである。

　大杉は、若い頃からロベンザリットの作用機序解析やガーシュウィンのもとでのB細胞研究を通じて、自己免疫疾患が起こる病態機序を深く追究していた。ガーシュウィン研究室では、B細胞が自己免疫疾患の発症に必須であることを自らの実験で明らかにし、B細胞機能の阻害が自己免疫疾患抑制につながることを証明している。これらの洞察をもとに、ロベンザリットより有効性と安全性に優れた薬剤候補としてB細胞阻害剤の探索を行っていた。それ故、B細胞を活性化するIL-6が発見されたときに、IL-6作用の抑制が自己免疫疾患の治療標的になる、といち早く見定められたのである。このように、周辺分野の研究を長年行って、知識やノウハウを蓄積することによって、イノベーションに有益な新しいサイエンス知見が社外に出現したとき、それを素早く吸収して企業の製品開発に活用することができる。大杉自身、「永年に亘る自己免疫疾患マウスでの発症機序を研究してきたからこそ思いついた発想」[343]、「我々は実験用のマウスで何十年も研究してきたから、読み取れ

343）大杉（2013）新薬アクテムラの誕生, 岩波書店, p.36

た。綿々と、コツコツと基礎の研究を続けてきたということが、いかに大事かということです」[344]と述べている。

　IL-6シグナルの阻害が自己免疫疾患治療に応用できる、と判断できた大杉の発想は、誰もが真似できるようなものではなかった。IL-6の発見は1986年のNature誌、その後のIL-6受容体の発見は1988年のScience誌に発表されている。世界最高峰の科学雑誌に発表されている以上、当時の免疫学分野の研究者たちには公知となった基礎研究成果だったはずである。しかし、IL-6/IL-6受容体を標的とした自己免疫疾患治療薬は、トシリズマブ以外でシルツキシマブしか製品化されておらず、それ以外はいずれもまだ臨床開発段階であること、シルツキシマブの特許出願はトシリズマブより10年遅いこと[345]を考えると、中外製薬以外で岸本らのIL-6やIL-6受容体の発表を知ってすぐに阻害剤の創薬研究に着手した企業はなかったと考えられる。

　自己免疫疾患の代表格である関節リウマチは医療ニーズが大きく、2018年の世界医薬品売上トップ10のうち3剤が抗リウマチ薬であること[346]、1998年以前はリウマチの治療選択肢が疾患修飾治療薬に限られておりアンメットメディカルニーズが現在よりも大きかったことを考えると、製薬企業にとって当時関節リウマチ治療薬の開発インセンティブは大きかったはずである。それにもかかわらず、IL-6の発見が発表されたとき、それが自己免疫疾患治療薬の創薬標的になると判断した研究者はきわめて少なかったのである。このことからも、大杉の発揮した吸収能力が、いかに製品開発の競争力に効いていたかがわかるだろう。綿々と続けた自己免疫疾患治療薬研究によって大杉に養成された吸収能力が、サイエンス・ベースド・イノベーションの競争優位にきわめて重要な役割を果たしていたのである。

---

344) Nikkei Business Online June 16 2010.
　　http://business.nikkeibp.co.jp/article/tech/20100607/214809/
345) Yao X, Huang J, Zhong H, Shen N, Faggioni R, Fung M, Yao Y, (2014) Targeting interleukin-6 in inflammatory autoimmune diseases and cancers. Pharmacology & Therapeutics, 141, pp.125-139.
346) IQVIA 調べ

吸収能力に投資することの限界

　サイエンス・ベースド・イノベーションにおいて、製品やサービス開発に貢献する吸収能力を身につけることは、容易ではない。最新の科学知見を理解するためには、その分野の最先端の論文を常時読みこなしたり、関連学会での発表を聞いて深く理解したり、関係する研究者と有意義なサイエンス議論をしたりする専門能力が必要である。また、新たな科学知見に出会ったとき、それをベースにした製品やサービスが、これまでの技術を上回る性能のものになりそうか、判断するためには、それまでに知られている周辺分野の知識や技術に精通していたり、自ら可能性を試す実験や計算をしてみて感触を摑むことができたりする必要がある。こうした専門性を身につけるためには、大学や大学院でその分野の専門教育を受ける必要がある。そして、企業研究者となってからも、日々の研究業務のなかで常に周辺分野の科学知見を収集し、自らの専門性を深め、知識をアップデートさせていかなければならない。これには同一分野で長く研究経験を積む必要がある。実際、上の事例では、大杉は自己免疫疾患の研究を1970年頃に開始しており、IL-6シグナルを創薬標的として見定めたのはその16年後の1986年であった。

　近年は、研究者が専門性を身につけるまでの時間は、昔より一層長くなっているといわれている。20世紀の100年間で、ノーベル賞受賞者がその研究に成功した年齢は 6 歳高齢化しており、偉大な科学技術の業績をあげ始めた年齢は 8 歳高齢化しているという[347]。これは、独自の研究成果を上げるためにはそれ以前の研究で知られていることをまず学ばねばならず、科学の進歩によって、その教育の時間が長期化しているためであろう、と考察されている。これは企業研究者にも同様のことが当てはまるはずで、製品やサービス開発に貢献できる十分な吸収能力を身につけるために、研究者としてトレーニングを受けるべき期間は、昔よりさらに長くなっていると思われる。

　このように、吸収能力は、その養成に時間がかかることが一つの大きな問題である。反対に、産業の変化のスピードはもっと速い。第 1 章で述べたよ

---

347) Jones BF, Age and Great Invention, NBER Working Paper 11359.

うに、IT産業は、1980年代以降10年程度で産業構造が変化しており、10〜20年かけて研究者が個人の吸収能力を磨いているようでは、競争のスピードについて行けない。製薬産業では、1990年代までの生活習慣病を中心としたブロックバスター薬モデルが崩壊し、2000年代からは癌や免疫の抗体医薬が主流となり、2010年代からは稀少疾患を標的とした創薬が進むなど、やはり10年位のサイクルで研究開発トレンドが変化している。

　この変化のスピードは、情報化社会の進展で、昔よりさらに加速している。論文は公表されたその日に、ウェブ上で世界どこでも読めるようになったし、グローバル化が進み、中国やインドなどの新興国でも日米欧と同様の先端サイエンスに基づいたイノベーション活動が可能になっている。そうしたなかで、自社内のある特定分野の吸収能力を、長期間投資して磨いていくという企業戦略は、もはや限界ともなりつつあるだろう。

　これは、人材流動性の低い日本社会では、より深刻な問題となる。米国では、企業がフォーカスしたい研究や技術領域が変われば、旧領域の担当者は社外に去り、新たにその専門性を有した人材が雇われることは日常的に起こるが、日本では、社員を辞めさせるハードルが高く、社員のほうも辞めても転職先が限られるため、企業内で人材をやり繰りせざるを得ないケースが多い。研究や技術のトレンドが変わるたびに、社内の研究者を専門外の研究分野に鞍替えさせ、新たな分野の研究に挑ませざるを得なくなる。そのたびに、専門性を新たに築く必要性が生じ、変化のスピードに乗り遅れることになるのである。

2．知識の非対称性問題

　ここで、話題をプロジェクトの意思決定に移そう。サイエンス・ベースド・イノベーションにおける企業マネジメントの論点の一つは、研究開発プロジェクトに対する社内のGo/NoGoの意思決定である。意思決定は、どの組織においても重要であるが、サイエンス・ベースド・イノベーションの場合、研究開発プロジェクトは先端のサイエンスに立脚しているため、非専門家は

その内容を十分に理解できない、という問題があり、これが正しい意思決定に対する大きな阻害要因となる。市場において、売り手と買い手の間に情報のギャップがある、すなわち売り手のみが情報を有し、買い手が知らない場合、（買い手が品質の悪い商品を不当に高い値段で買わされるなど）適切な市場調整が成されない、という状態を、情報の非対称性がある、という。このアナロジーを使うと、サイエンス・ベースド・イノベーションにおいては、現場の研究開発担当者と、上層部の意思決定者との間に、知識の非対称性、とでもいうべき状態がしばしば存在する。すなわち、研究開発プロジェクトが依存している科学知識や技術情報が、専門的すぎるため、現場で研究開発に取り組んでいる研究者たちがプロジェクトの説明をしても、意思決定者がその中身をよく理解できず、不十分な知識のまま意思決定をしてしまう、という問題が生じる。

　企業上層部の科学への理解が不十分なことが、時に企業に大きなダメージを与えることは、サイエンス・ベースド・イノベーションに限らず起こる。山口は、JR西日本の福知山線脱線事故では、高校物理のレベルで理解できる列車の転覆限界速度を、鉄道事業者でありながら経営陣が理解しておらず、そのサイエンスリテラシーの欠如が、事故につながったと指摘している[348]。

　サイエンス・ベースド・イノベーションの場合は、最先端の科学技術の内容と状況がわかっていないと、プロジェクトを正しく理解して、その価値を判定することができないため、意思決定者の対象領域への専門性は、（高校レベルどころか）きわめて高いものが求められる。よく、意思決定者が現場での研究開発経験があることを理由に、専門性が十分だとの説明がされることがあるが、先進のサイエンスは細分化し、過去の科学知識の蓄積の上に成り立つ以上、年々その難易度は増していく。通常、類似の他領域の研究経験がある程度や、研究開発の現場から離れて何年も経っているようでは、そのプロジェクトの可否判断を高いレベルで実行できるだけのサイエンスの専門

348）山口（2007）JR福知山線事故の本質—企業の社会的責任を科学から捉える，NTT出版

性を持ち合わせているとはいえない。それにもかかわらず、ほとんどの企業では、そのレベル感のシニアメンバーが、研究開発プロジェクトの意思決定をしているのが現実である。

　この知識の非対称性問題は、サイエンス・ベースド・イノベーションをめざす企業にとって、製品やサービス開発の競争力を左右する重大な問題である。これを解決するには、その研究開発プロジェクトの意思決定を、十分なサイエンスの専門性を有する現場に権限委譲すればよい。すなわち、現場の部署長クラスにGo/NoGo判断をゆだね、それを尊重すればよいのである。その場合、現場は自分たちのプロジェクトにNoGoを出しにくいので、何でも進めようとしてしまう、という批判があるだろう。そうならないために、現場が次のステップに進める際に利用可能なリソースに限度を設け、そのなかで優先順位を付けさせればよい。そうやって選ばれた、各部署のベストプロジェクトを、さらに絞りこむ必要性があるのであれば、あとは（サイエンスの議論をするのではなく）会社の経営方針に合わせた優先付けだけを、上層部はやればよいのである。

　より権限委譲を進めるやり方としては、研究開発部署のユニット制や子会社化がある。研究開発の現場を企業本体から切り離し、プロジェクトの意思決定は現場に任せる。一方、本社は、ユニットや子会社から有望な製品候補があがってこないと判断した場合は、オープン・イノベーションで社外から良いプロジェクトを導入すればよい。

　そうやって、自社と他社のイノベーションを本社が天秤に掛け、研究開発ユニット／子会社に、外部と競わせるのである。その結果、十分な研究開発成果を上げてこない場合は、予算や人を減らす、組織を解体する、などの措置を講ずればよい。そうすることによって、現場メンバーが、高い専門性に基づいてプロジェクトの価値を正しく判断することができ、一方で、研究開発ユニット／子会社が権限委譲された状況に甘えて、成果を出さないのであれば、他社に競り負ける、という危機感を与えることができる。

3.「イノベーションのジレンマ」への対応

　イノベーションのジレンマの理論については、第6章の「技術開発の軌跡とイノベーションとの関係」のなかの「破壊的イノベーションと持続的イノベーション」の項で説明した。繰り返しになるが、既存製品の延長線上にない破壊的イノベーションは、出現当初は既存技術や製品より性能が劣り、既存技術・製品の改良（持続的イノベーション）を追求する大企業は、そのイノベーションポテンシャルを重要視しない。

　しかし、破壊的イノベーションは、既存製品とは異なる顧客に新たな価値を訴求することで、市場を獲得・拡大する。その間に技術改良も進み、ついには既存市場にもそのローエンドから進出し、既存製品を駆逐してしまう。既存製品を扱う企業は、その性能を高める持続的イノベーションに注力して製品価値を高めるという、一見合理的な企業努力をしているにもかかわらず、破壊的イノベーションに市場を奪われるというジレンマを、クリステンセンは「イノベーションのジレンマ」と呼んだのである[349]。

サイエンス・ベースド・イノベーションにおける「イノベーションのジレンマ」

　イノベーションのジレンマは、必ずしも先進技術の市場で起こる話ばかりではない[350]。しかしながら、サイエンス・ベースド・イノベーションにおいて、イノベーションのジレンマともいうべき事例は多く、技術マネジメントを考えるうえできわめて示唆に富む理論である。

---

349) 原著のタイトルは『The Innovator's Dilemma』であり、直訳すると「イノベーターのジレンマ」であるが、ここでは邦訳書タイトル『イノベーションのジレンマ』を引用している。

350) 一例として、「The Innovator's Dilemma」には、ホンダが、1960年代当時、ハーレー・ダビッドソンなどの長距離ドライブ用大型バイクで構成されていたオートバイ市場に、性能が劣る50ccのスーパーカブでレクリエーション用オフロードバイクというローエンド市場を開拓し、その後エンジンの技術改良を進め、やがて既存の上位市場をも駆逐していった事例が取り上げられている。

一例をあげよう。サイエンス・ベースド・イノベーションの代表格である医薬品開発において、この20年程度の間に市場に浸透してきた抗体医薬や核酸医薬、遺伝子治療といった新規モダリティ医薬品[351]の歴史は、イノベーションのジレンマをよく体現している。それまで、医薬品は低分子が主であった。抗体医薬は抗原性や生産技術など、核酸医薬は安定性や自然免疫系活性化による副作用など、遺伝子治療は癌誘発の危険性やコストなど、技術の黎明期には多くの課題があった。そのため、低分子医薬を主戦場としていた製薬企業の多くは、これら新モダリティの技術開発に積極的に取り組まなかった。その間、大学研究者やベンチャー企業、一部の製薬企業の努力によって少しずつ問題解決が図られ、医薬品として製品化できる技術レベルまで到達してきた。初期製品は、眼疾患の局所投与剤や稀少疾患用など、限られた市場を対象としたものが目立ったが、治療ニーズの大きい疾患に高い効果を示し、高薬価が付く製品も多く、対象とする疾患や分子標的を拡げて、市場でのプレゼンスを増してきた。1990年代の終わりから上市が本格化した抗体医薬品は、今や我が国でも1兆円市場となりつつあり、売上上位品目で低分子医薬を凌ぐほどにまで成長している[352]。核酸医薬品や遺伝子治療製品は、2010年代より製品化が本格化しており、大型化が期待される医薬品が育ちつつある[353]。

　抗体や核酸医薬、遺伝子治療は、低分子医薬では調節しにくい作用分子を標的にできることや、作用メカニズムが異なるなどの性質の違いを有し、低分子医薬品がメインターゲットとしている疾患とは、対象領域が異なることが多い。したがって、低分子医薬品の市場をそのまま置き換えるものではなく、むしろこれまで新薬がつくりにくかった治療ニーズに新たに応え、医薬品市場を拡大させる意義があった。2000年頃までは、医療用医薬品市場は生活習慣病を対象とした低分子医薬品が多数ブロックバスター化し[354]、市場の

351）薬剤形態（低分子医薬、抗体医薬など）のことをモダリティと呼ぶ。
352）医薬産業政策研究所，リサーチペーパー・シリーズNo.71
　　http://www.jpma.or.jp/opir/research/rs_071/paper_71.pdf
353）ノバルティス、世界一高い難病治療薬で稼ぐ　日本経済新聞　2020年1月31日
354）年間売上げが1,000億円を超える医薬品はブロックバスターと呼ばれる。

中心を占めていた。このため、大手製薬企業の多くは、低分子医薬の追究や改良に注力し、新規モダリティ医薬品へのシフトが遅れた。特に日本企業はその遅れが大きく、これが医薬品産業の大幅な輸入超過を生む一因となった。上述したとおり、新規モダリティ技術は、当初は低分子医薬品にはない技術的課題を多く抱え、低分子という先行技術より性能が劣っていた。それゆえ、低分子医薬品の研究開発に長年注力してきた企業は、新モダリティ技術のポテンシャルを過小評価し、対応が遅れたのである。

　IT産業においても、イノベーションのジレンマの事例が多く見られる。第6章に述べたとおり、クリステンセンの著書では、ディスクドライブの事例が詳しく取り上げられている。IT業界における事例であっても、例えば日本の携帯電話（いわゆるガラケー）が iPhoneに市場を奪われたケースは、Appleが社外のデベロッパーにアプリケーションを提供させたり、音楽や映像の流通を手掛けたりすることで、iPhoneのプラットフォームとしての価値向上を図ったエコシステムづくりの勝利だと考察されており[355]、必ずしも破壊的技術がイノベーションを生んだ事例ばかりではない。そのなかでも、半導体は、破壊的技術によって異なる市場リーダーが出現してきた分野であり、サイエンス・ベースド・イノベーションの見地からは興味深い。

　インテルは、1970年代にパソコン向けマイクロプロセッサを開発し、技術改良を続けて、パソコン用CPUでは世界のトップを走ってきた。一方、モバイル分野では、クアルコムのCDMA方式を用いた半導体チップが広く使われており、CPUの設計はアームが圧倒的な市場シェアをもち、インテルは出遅れた。

　クアルコムは、カリフォルニア大学サンディエゴ校の通信技術研究者を中心に設立された企業で、当初は衛星システム用にCDMA方式の開発を行っていたが、携帯電話用に切り替えて成功を収めた。

　アームは、1980年代に、ケンブリッジ大学出身の研究者ウィルソンが設計した簡略化したプロセッサの命令セットが起点となっている。モバイル用プ

355）玉田（2015）日本のイノベーションのジレンマ, 翔泳社

ロセッサには、パソコン用に求められる性能の高さよりも、小型化や省電力化が求められる。インテル創業者が唱えたムーアの法則に沿って、半導体の集積率を上げて高性能化をめざす方向とは、異なる市場価値を訴求する破壊的イノベーションだったといえる。

　より近年は、自動運転などのAIシステム用として、エヌビディアのプロセッサが台頭している。エヌビディアは、1993年の設立当初から、グラフィック用のプロセッサ開発をしており、もともとの用途はゲーム機であった。３Dグラフィックスの画像処理のため、多数のハードを制御して高速計算を可能としたGPU（グラフィック・プロセッシング・ユニット）を開発してきた。このGPUの計算速度の速さが、膨大な計算量を必要とするディープラーニング用の処理に適しており、現在は自動運転を始めとしたAIコンピューティングのプラットフォームとして活用されている。GPUの技術は、もとはゲーム用に開発されたものが、用途を広げ、市場地図を塗り替える破壊的イノベーションとなったのである。エヌビディアに後れを取ったインテルやクアルコムは、他社の買収を通じて技術のキャッチアップを図ろうとしている[356]。

　このように、サイエンス・ベースド・インダストリーでは、先進のサイエンスや技術発明によって、技術のS字カーブを不連続にジャンプさせるような破壊的技術が出現し、市場地図を塗り替えてしまうようなイノベーションが生まれることが多い。新しいサイエンスや、それに基づいた新規イノベーションの可能性は、いつ、どんなものが出現するのかきわめて予測が難しい。さらに、イノベーションのジレンマ理論でいわれているように、破壊的イノベーションは、最初は存在しない、あるいは規模が小さい市場を標的とするため、その後どれだけ技術が進化して、用途が広がるかについて、初期段階では予想しづらい。技術開発や製品プロトタイプの開発が進んでくれば、そのポテンシャルは見えてくるが、破壊的イノベーションが進むスピードは、

356）インテルHP　https://intelandmobileye.transactionannouncement.com/
　　クアルコムは車載チップメーカーのNXPセミコンダクタースの買収を2016年10月に
　　発表したが2018年7月に断念している。

既存技術や製品に強みをもつ企業が感じるよりも往々にして速く、気がついたときには、後塵を拝していることになるケースが多いのである。

　IT産業では、技術のパラダイムシフトによって、市場リーダーとなる企業が変遷することが多く、イノベーションのジレンマへの対応は、企業の存続に関わる重要な問題である。製薬産業では、臨床開発に多くの費用と期間がかかることや、直接の顧客が医師であるため販売チャネルの構築に高い参入障壁があることなどから、市場リーダーが入れ替わることはIT産業よりは少ないものの、多額の研究開発投資から生み出されるごく少数の大型薬の創出に企業の浮沈がかかるという、ハイリスク・ハイリターンな業界構造ゆえ、市場環境を変えるような破壊的イノベーションへの対応は企業の競争力に大きな影響を与える。

破壊的イノベーションに対応する方策

　では、イノベーションのジレンマに陥らないようにするには、企業はどのような戦略をとればよいのであろうか？　クリステンセンは、既出の著書のなかで、破壊的イノベーションは、小規模な市場にも十分な関心をもてる独立した小組織をつくり、そこに任せることや、新しい仕事に適したプロセスと価値基準をもつ他組織を買収することをあげている。これは、すでに第10章で述べた創発戦略やオープン・イノベーション、第2章で述べたベンチャー企業の内容と密接に関係する論点である。

　まず、サイエンスの発見や発明は、いつどんなものが出てくるのか、正しく予測することはできない。また、先端的であるが故に、技術としての確実性や、応用可能性について、初期段階では推測が難しい。そのため、最初から大きな市場ポテンシャルが期待できないものであっても、少ないリソースで自由に可能性を追求することをミッションとした別組織をつくり、そこに権限委譲してやらせる、というのは合理的な選択肢である。そうすることで、仮に研究開発に失敗しても、損失は大きくないし、対象とするサイエンスや技術に明るいメンバーを集めて、外部の専門家や顧客の声を聞きながら、様々な応用ポテンシャルを試してみることで、当初気がつかなかった新たな用

途や技術のブレークスルーが生まれる可能性がある。その結果、破壊的イノベーションに育ちそうなら、投資を拡大するなり、企業の内部に戻すなりして、企業戦略の中核として取り込めばよいのである。

オープン・イノベーションも、破壊的イノベーションへの対応として重要である。先端的なサイエンスや先進技術は、アカデミアやベンチャー企業から出てくることが多い。学術研究機関は、営利が一義的な目的ではないし、ベンチャー企業は、大企業が当初は関心を示さない小規模な市場であってもビジネスの対象となりうるため、破壊的技術をインキュベートするには適した組織である。また、自由度とチャレンジ精神が重んじられる組織風土があるため、不確実性の高い破壊的イノベーションをめざす活動には向いている。

大企業は、産学連携や企業間連携、買収などを通じて、こうしたアカデミアやベンチャー企業の取り込みを図ることで、イノベーションのジレンマへの対策が取れるだろう。コーポレート・ベンチャー・キャピタル（CVC）を設立し、ユニークな技術をもつ社外組織に幅広く投資するのも一手である。破壊的技術は、製品やサービスに結びつくレベルまで技術が進化するかは、技術の黎明期にはわからないため、様々な技術シーズに薄く広く投資するやり方が望ましい。その点からも、CVCを活用した投資は有効だろう。

社外の破壊的イノベーションの取り込みで参考になる事例の一つが、ロシュとジェネンテックの提携である。ジェネンテックは、遺伝子組み換え技術を開発したカリフォルニア大学サンフランシスコ校のボイヤーらが中心となって1976年に設立された、世界最初といわれるバイオベンチャーである。ジェネンテックは、その技術を活用して、遺伝子組み換えインスリンや成長ホルモンの医薬品化に成功した。その後、1980年代からは、遺伝子組み換え技術を抗体の作製に応用し、生産技術の改良を重ねて、抗体医薬品の研究開発に取り組んだ[357]。抗体医薬品が、従来の低分子医薬品に対する破壊的イノベーションであったことは、前述したが、遺伝子組み換え技術を用いたバイオ

---

357) 石川（2008）ジェネンテック社におけるイノベーションのダイナミクス 研究技術計画 22（3-4）, pp.212-219

医薬品研究開発のポテンシャルに目をつけたロシュは、1990年にジェネンテックの株式の60％を買い占め、その傘下に置いた[358]。そのうえで、ジェネンテック発の抗体医薬品が市場で主流を占めるようになった2009年に買収し、完全子会社化した[359]。

　ロシュは、日本では、抗体医薬品のトップカンパニーの一つである中外製薬の株式の過半数を2002年に取得し、提携下に置いている[360]。このように、ロシュは、破壊的イノベーションとなりうる技術をもつ企業を、戦略的提携で傘下に入れ、さらにジェネンテックについては完全子会社化することで、じわじわと破壊的イノベーションを自社内に取り込んだのである。提携下でも、ロシュはジェネンテックや中外製薬に一定の自由度を与え、自律的な研究開発を促しており、先進技術を伸ばしていくうえで参考になるマネジメントである。2019年のロシュの売上げ上位5品目は、いずれもジェネンテック由来製品であり、6位のアクテムラは中外製薬が創製したものである[361]。

4．イノベーションの最大化

　企業がイノベーションに投資するからには、そこから回収できる利益を最大化したいというモチベーションが働くはずである。企業がイノベーションをめざした研究開発活動を行う決定要因としては、専有可能性（appropriability）と技術機会（technological opportunity）が知られている[362]。専有可能性とは、

358）宮重（2011）スイス製薬企業における研究開発の差異，日本経営学会第85回大会 pp.166-167
359）薬事日報 2009年3月13日
360）中外製薬HP
　　https://www.chugai-pharm.co.jp/ir/individual/roche_alliance.html
361）ロシュHP
　　https://www.roche.com/dam/jcr:6c0035b5-3447-4b2c-aeae-9649f5197ccb/en/irp200130.pdf
362）後藤・古賀・鈴木（2002）わが国製造業における研究開発投資の決定要因，経済研究，53（1）pp.18-23

イノベーションから自社が獲得できる利益の程度であり、技術機会とは、研究開発から何か新たな技術を生み出したときに、それがイノベーションに結びつく機会のことである。すなわち、企業は、イノベーションがもたらす自社の利益が独占できる見込みが高い場合や、イノベーションを生み出すような技術を多く開発できる可能性が高い場合に、研究開発に投資してイノベーションをめざそうと考える、ということである。逆に言えば、一定の研究開発投資で、専有可能性と技術機会をより大きくできれば、イノベーションから得られる果実を最大化することができる。以下、サイエンス・ベースド・イノベーションにおいて、専有可能性と技術機会を高める方法について論ずる。

専有可能性

　利益の専有可能性を高める方策の一つとして、特許化がある。医薬品産業は、医薬化合物が構造情報で物質として規定できるため、医薬化合物をクレームする物質特許を押さえることが、利益の確保に何より有効となる。この場合、医薬候補化合物を含む特許に、構造が類似した周辺化合物の情報をなるべく入れ込み、他社が特許を回避して類薬を開発するチャンスを下げる、などが専有可能性を上げるために重要であろう。一方、通信技術などは、一つの技術を形成する特許が多数存在するため、クロスライセンスによるパテントプールを形成して技術を利用するケースが多く、自社に有利な技術でデファクトスタンダードがとれるか、といった視点がむしろ重要となるだろう。

　技術をブラックボックス化することで、専有可能性を高められる場合もある。これは、技術を特許化しても特許を回避した形での模倣が容易な場合や、特許化しにくいノウハウ的なものが競争力に重要な場合などである。シャープが液晶パネルの製造工程をブラックボックス化していたのは有名である[363]。サイエンス・ベースド・イノベーションの場合は、技術開発の源泉が、サイエンスという公共財であるため、最初から秘匿されたノウハウで技術を深化させていけるケースは多くはない。研究動向を他社に察知されたくない、キ

363）ダイヤモンドオンライン　https://diamond.jp/articles/-/44846?page=2

ャッチアップの機会を防ぎたい、といった場合はブラックボックス化が有効であり、扱う科学技術の性質や自社の優越性などを複合的に考慮しながら、戦略を決めていく必要がある。

　製品を他社より早く開発することで、他社が市場に参入するまでのリードタイムを稼ぐことは、専有可能性を高める方法の一つだといわれる。研究開発型の企業が、社内で基礎研究を実施する理由の一つとして、first-mover advantage（先行者利益）が得られることがあげられている[364]。新規性の高い発見や発明に基づいて、他社より早く新しい製品やサービスを開発できるということである。一方、後発で参入することで、技術の課題などを先行他社が解決してくれて、低コストで知識や情報を手に入れられる場合もある（late-mover advantage）。

　サイエンス・ベースド・イノベーションの場合は、新規性の高い科学知見に最初にアクセスできれば、first-mover advantageが獲得できる。そのため、企業が吸収能力に投資して、社外のサイエンスをいち早く取り込む能力を高めたり、産学連携で学術研究機関と最新のサイエンス研究を共同で実施したりすることは、合理的ともいえる。一方で、サイエンスの新規性が高いほど、不確実性も大きく、それがイノベーションに結びつけられるのか、リスクがある。したがって、他社の動向を見ながら、技術的な問題が解決されるなど応用の可能性が高まった段階で参入することにも、メリットはある。企業は、先行することのメリットと科学技術の不確実性のバランスを、よく見極めながら、参入タイミングを計ることになる。

　医薬品産業では、製品が市場に出たあとも、ライフサイクルマネジメント（LCM）を行うことが、後発品の参入を排除して専有可能性を高める効果をもつと報告されている[365]。上市後も、新薬の新たな作用上のメリットやその

---

364) Rosenberg N, (1990) Why do firms do basic research (with their own money)? Research Policy, 19, pp.165-174.

365) 井田・隅藏・永田（2007）製薬企業におけるイノベーションの決定要因, 医療と社会, 17 (1), pp.101-111

メカニズム、安全性などの情報を付加していくには、さらなる周辺の学術研究が必要となるケースもある。サイエンス・ベースド・イノベーションでは、製品化の後であっても、サイエンスがもたらす情報が、製品の付加価値を高める場合があるということである。この場合、営業やマーケティング部門と、研究部門が密接に連携して、製品価値向上のためのサイエンスへの投資やアクセスを高めていく必要がある。

技術機会

　技術機会とは、研究開発によって得られる技術的な情報が製品開発に役立つ機会のことである。例えば、遺伝子組み換え技術が開発され、それによってバイオ医薬品の創製が可能となったり、液晶技術の開発が、時計やテレビのパネルといった製品に用いられたりなどである。技術機会が多いほど、そこから製品やサービスなどを生み出すチャンスは増えるため、イノベーションを最大化できる可能性が高まる。一方で、やみくもな技術機会の追求は、コストを増やし、リソースを消費してしまう。効率的に技術機会を拡大するには、研究領域や技術領域で重点分野を定め、そのなかで関連性のある技術を複数追求するのが、一案であろう。

　企業間連携やM&Aも、自社にない技術機会を迅速に手に入れる方法であり、技術機会を増やすのに効果的であるといわれる。その際、異なる事業ドメインで連携・合併すると、技術の重なりがないので、技術機会の増加に最も効果的であるが、一方で同じドメインで合体すると、専有可能性が増すので、そこにはトレードオフがあるといわれる。

　サイエンス・ベースド・イノベーションでは、サイエンスが行われる主たる場所である大学などの研究機関が、技術機会の多くを生み出す。したがって、産学共同研究などで技術開発を図るのが、技術機会を増やすのに効果的である。ベンチャー企業と連携して、新たな技術を導入するのも同様である。この場合、自社の他の技術や製品とのシナジーや、戦略適合性など、その企業にとってイノベーションの価値を最大化するのに効果的な技術機会かどうか、よく検討する必要がある。

全体のまとめ
サイエンス・ベースド・イノベーションのマネジメント

　2020年時点で、世界で最も高い時価総額を有する企業のほとんどが、巨大IT企業である。アップルやマイクロソフト、持ち株会社アルファベット傘下にあるグーグルは、パソコンやオペレーションシステムの開発、スタンフォード大学で開発されたアルゴリズムを用いたウェブ検索サービスといった、当時斬新だったIT技術をもとにして、成長した会社である。アマゾンやフェイスブックが事業の根幹としたe-コマースやSNSは、開発当時は画期的だったインターネット技術の発明によって、可能となったサービスである。そうしたネット技術は、今や汎用化し、シャロー（浅い）テックなどと呼ばれるようになったが、より先進的な、AIや先端バイオやロボティクスなどのディープテックが、様々な産業に大きなインパクトを与えつつある。このように、この50年程を振り返ると、先進の科学技術が新たな事業を生み、成長させ、社会を変えていった歴史ともいえる。

　科学技術がビジネスを生み、産業を育てた典型例が、医薬品とITである。医薬品業界では、新しい生体メカニズムの発見や、抗体医薬、遺伝子治療などの創薬関連技術の開発が、革新的な医薬品を生み出し、我々に病からの治療手段を提供してきた。IT業界では、量子力学に基づく半導体の発明や集積回路の開発、インターネットや通信技術の発明と進化、トロント大学で見いだされたディープラーニングの手法をきっかけに大きく発展したAIなどが、様々な製品やサービスを生み出し、巨大産業を形づくってきた。

　主にIT技術の発達は、それまでサイエンスとは縁が薄かった産業を、サイエンス化させている。自動車は、クリーンエネルギーや自動運転技術等と結びつき、他の製造業でも、工作機械の高精度化や自動化が、深層学習など

を用いて進められている。サービス業のサイエンス化も著しい。金融には、ITを用いた様々なサービスが導入され、フィンテックと呼ばれている。小売業では、POSシステムを用いた商品管理やマーケティングが浸透し、レジの無人化も実用段階に入った。AIを用いたセンサー技術や画像処理技術の高度化は、医療や福祉サービス等にもイノベーションをもたらしている。医薬品開発の現場には、ビッグデータが持ち込まれ、サイエンス・ベースド・インダストリーの典型産業同士の合体も始まっている。

　サイエンスは、新たな産業を生み出す起爆剤ともなっている。地球規模での環境問題や貧困など、多くの社会問題を先端の科学技術で解決しようという動きが、ビジネスの新たな潮流を生んでいる。こうしたディープテックは、スタートアップが主な担い手となって、環境・エネルギー、農業、宇宙など、多くの分野で新事業を誕生させつつあり、投資も加熱している。このように、サイエンスは、医薬やIT産業でイノベーションのドライバーとなってきただけでなく、近年は、他産業をサイエンス化し、サイエンスを活用した新たな産業をもつくり出している。まさに、サイエンスなくして産業は語れない時代になっているのである。

　サイエンス・ベースド・イノベーションの担い手として重要なのは、ベンチャー企業である。ベンチャー企業は、萌芽的技術を活用した製品やサービスの将来性を市場で試し、その付加価値を高めることで、サイエンスをイノベーションにつなげる橋渡し役となる。取り扱う科学技術に明るく、かつエネルギーと挑戦意欲に溢れる高度専門人材が、ベンチャー経営には必要である。また、VCや個人投資家などからの資金調達も、ベンチャー経営に重要なファクターとなる。基盤となるサイエンスや技術を生み出す大学等との連携や、国の支援施策などの活用も重要である。こうしたステークホルダーたちのエコシステムが効果的に形成されることが、先端技術ベンチャーの発展には不可欠といえる。

　サイエンス・ベースド・イノベーションでは、先進の科学技術の多くが、大学などアカデミア研究機関で研究されるため、大学発スタートアップが多いのはもちろんであるが、大学から直接スピンアウトした企業でなくても、

大学発の科学技術を活用した先端技術ベンチャーが、イノベーションを支えている。IT業界では、IT技術を武器に創業したベンチャーから世界有数の巨大企業が多く育ち、医薬品業界では、革新的新薬の多くをバイオベンチャーが生み出し続けており、一部は大企業化した。近年注目されるディープテックは、その成長エンジンがベンチャー企業であり、ユニコーン化する企業が次々登場している。

　こうしたベンチャー企業は、米国や中国で隆盛だが、日本ではまだ発展途上である。2000年代前半のベンチャー1,000社計画は、思ったほどの効果を生まず、米国で存在感のあるバイオベンチャーは、日本であまり育っていない。一方、AI、エネルギー、先端材料などの分野で成功例も出てきており、ベンチャー設立数はここ数年で増加し、ディープテック・スタートアップからユニコーン化する企業も数社出現している。

　こうしたベンチャー企業の伸び悩みも一因と考えられるが、日本はサイエンス・ベースド・イノベーションにおける競争力が弱い。ハイテクノロジー産業での貿易収支は輸入超過であり、その他の産業と比較して、国際競争力が劣っている。サイエンス・ベースド・インダストリーの代表格である医薬品では、大幅な貿易赤字となっており、貿易収支比率は年々低下している。産業構造が変化し、汎用技術に対する加工技術力や製造プロセスが強みとなった工業経済から、新たな科学技術を武器にしたサイエンス・ベースド・イノベーションの重要性が増したサイエンス経済へと、社会は移行している。そのなかで、日本のサイエンス・ベースド・イノベーション力の強化は、喫緊の課題となっている。

　このように、国によって産業競争力に特徴が出るのは、各国のイノベーション・システムの違いが理由の一つである。日本のナショナル・イノベーション・システムは、終身雇用を前提とした大企業とその系列が、社内研究開発力を生かしてイノベーションに貢献してきた割合が大きい。産業におけるサイエンスの貢献度が増し、大学との連携や、オープン・イノベーションによる社外からの新たな知識や技術の獲得が、より重要になるなか、大企業の

自前主義中心で、人材流動性も低い日本のイノベーション・システムは、新しい産業の流れに十分適応できていない。

　米国は、かねてから、大学など公的研究機関の研究に対する政府支出が多く、サイエンスへの投資が、特に軍事やバイオといった米国のお家芸を育ててきた。ベンチャー企業が牽引役となっているのも、米国の特徴である。これには、米国のベンチャー支援制度であるSBIRの貢献が大きい。米国は、大学とスタートアップの間の人材流動性が高く、ベンチャーへの投資マネーや政策的支援が充実しており、サイエンスがイノベーションに結びつきやすい。近年は、経済社会における中国の台頭が目覚ましい。国としての科学技術力の向上が著しく、大学重点化やハイテク産業への投資拡大などで、大学発ベンチャーや、大学で高等技術を学んだ研究者の起業により、ITを中心に、大型化する企業が次々出現している。日本は、国家プロジェクトの実施や、日本版SBIRの導入などで産業支援を図っているが、創薬の事例で紹介したように、産官学の狙いのミスマッチなどで、政策の打ち手が十分に機能しないケースがある。企業、国、大学が、より互恵的なエコシステムを構築し、サイエンス経済社会に順応したイノベーション・システムに転換していく必要がある。

　サイエンス・ベースド・イノベーションでイノベーションの源泉となるサイエンスは、大学等の基礎研究から生み出されるが、日本の研究力は低下している。国の研究費は、先進諸国のなかで高い水準を保っているが、もともと企業の貢献が大きく、基礎研究に割かれる研究費は比較的小さいうえに、応用や開発研究への支出が増加しており、基礎研究への投資が減っている。日本は、博士号取得者の割合が欧米より低く、先進諸国で唯一、博士号取得者の人口における割合が減少している。博士号取得者はアカデミアに偏り、企業において、高度なサイエンスをイノベーションにつなげる人材や、ベンチャーを起業してサイエンス・ベースド・イノベーションを志す人材が少ない。

　2000年前後に実施されたポスドク1万人計画が、正規職に就けない博士号取得者を大量に生み出す結果を招いたことも、博士人材の伸び悩みに影響している可能性があり、高度研究人材の有効活用を、日本は国として真剣に考

え、取り組む必要がある。研究力のアウトプットとなる論文数は、世界順位を下げており、特に被引用数が多い高インパクト論文は、主要国中シェアが10位を下回った。大学学術ランキングでは、主要大学の順位が軒並み下がっている。これらのデータは、日本の基礎研究力の低下を如実に物語っている。特許出願数を見ると、質、量とも先進国中トップクラスであるが、そのシェアは低下してきており、サイエンス・ベースド・インダストリーで特許の質が相対的に低い傾向もある。国としての基礎研究力の低下が、この先、サイエンス・ベースド・イノベーションのアウトプット低下にも反映されてくる可能性があり、注意を要する。

　では、サイエンス・ベースド・イノベーションの競争力強化のためには、何をすればよいのか。それを探るためには、サイエンス・ベースド・イノベーションがどうやってもたらされるのか、その原理を一般化して理解し、イノベーションを生み出すために効果的な戦略を、サイエンスを生み出す大学側、イノベーションを主に担う企業側のそれぞれから、体系的に考察することが重要である。

　そこで、第Ⅱ編は、理論編として、第3部では、サイエンス・ベースド・イノベーションの基盤となる学術理論を述べた。第4部では、サイエンス・ベースド・イノベーションを支える大学研究者に関する先行研究や筆者の研究、大学知の商業化をめぐる動き、産学連携にまつわる概論を述べた。第5部では、サイエンス・ベースド・イノベーションを推進するための企業戦略について、これまでの戦略論に筆者の研究も加えながら、概説した。

　サイエンスは、主にアカデミアの基礎研究から生み出されるが、そのなかには、自然原理の追究のみを目的とした基礎研究と、用途を考慮した基礎研究がある。イノベーションのタネになりうるのは後者であるが、研究の黎明期には、その応用可能性が自明でないことも少なくない。基礎を応用へとつなげる研究者の能力が、サイエンス・ベースド・イノベーションの実現に必須となる。新しい科学技術は、論文として発表されるため、サイエンスは公共財としての性質をもつ。情報化社会に伴って、科学知識の共有速度はます

ます高まっており、イノベーションへの活用にはスピードがきわめて大事である。また、論文の再現性が低いことも問題となっている。このため、産学共同研究や、アカデミア研究者とのインフォーマルなコミュニケーションから、公知化前の科学知識を得たり、科学技術の確からしさを直接確認したりすることは、一つの解決策になるが、一方で探索できる科学技術の範囲が狭まることにもなる。科学知識の獲得チャネルを上手く使い分けながら、必要な科学知識をタイムリーに獲得し、製品やサービス開発に活用していくことが求められる。

　では、基礎研究から生まれたサイエンスは、どのような軌跡でイノベーションにつながっていくのか。サイエンスとイノベーションの関係性は、これまで様々にモデル化されてきた。基礎研究の成果が、応用研究を生み出し、製品化につながるとしたリニアモデルは、サイエンス・ベースド・イノベーションの一部の例を上手く説明する。しかし、当初は自然原理の解明のために行われた基礎研究が、意図せず応用可能性を導き、製品やサービスの開発につながるといった、一方向的なモデルは、現実のものづくりを説明するには限界があった。実際には、市場のニーズが応用研究を導き、その問題解決に基礎研究が活用され、そうした基礎と応用のフィードバックは、製品化の初期から市販後まで、相互作用的に起こることが多い。これは、連鎖モデルと呼ばれ、現在では、サイエンス・ベースド・イノベーションのより一般的なモデルとして理解されている。

　技術開発の進化や、市場との関係性についても、モデル化による説明が成されてきた。技術進化は、当初は試行錯誤によって改良のスピードは遅く、進化に伴って情報が集まることにより、技術性能の向上は加速し、次第に成熟期に達する、というS字カーブを描く。市場を塗り替えるような技術進化では、技術性能がより高いところに到達する新たな技術が出現する。こうした破壊的技術は、既存のS字カーブの延長線上ではなく、新たなS字カーブにジャンプしたかのような軌跡を辿る。

　クリステンセンは、この破壊的技術論に、市場の観点を加え、理論化した。すなわち、既存技術を塗り替える破壊的技術は、既存技術が顧客に訴求する

価値とは違った価値を提供するものであり、その性能は当初は既存技術より劣るため、既存技術を手掛ける企業はその価値を十分認識できない。しかし、破壊的技術が訴求する新たな価値は、市場に受け入れられ、その過程で進む技術進化により、やがて技術性能自体も既存技術を凌駕し始め、市場のローエンドから既存技術市場をも侵食し始める。こうして既存技術が駆逐されていく、というメカニズムである。当初は小型化に訴求価値を置いてミニコンピュータをメイン市場としていた8インチ・ドライブが、容量でも十分な性能をもつようになり、メインフレーム市場で14インチ・ドライブを凌駕した例などがある。医薬品における低分子医薬と抗体医薬のように、破壊的技術が既存技術を駆逐するというより、むしろ市場を拡大すると捉えたほうが理解しやすい場合もある。

　近年のディープテックは、革新的技術によって、新たなビジネスや市場をつくり出すケースがあり、これも似た概念で整理できるかもしれない。このように、ある技術を手掛ける企業は、市場を置換しうる破壊的技術が、黎明期にはその訴求価値を見極めるのが難しいことを理解したうえで、既存技術の改良と新規技術開発を、バランスよく行っていく必要がある。また、新技術が市場を拡大、形成する可能性も考え、既存技術からの乗り換えだけでなく、共存も含めて、どういった技術開発オプションをとるのがベストなのか、技術と市場の動向を慎重に見定めながら、入念にデザインしていく技術マネジメント力が求められるのである。

　技術開発に関しては、ハイプ・サイクルを理解しておくことが重要である。革新的技術が登場すると、当初は市場の期待が大きく高まるが、通常、技術の実用化には多くのハードルがあり、期待ほどのスピードでは進まない。それによって、市場の期待は急速に冷め、技術は幻滅期に入る。しかし、その間も技術改良は続けられ、次第に実用化のレベルに到達し、市場浸透を果たしていく。せっかく先端技術に黎明期から入力しておきながら、技術の幻滅期に、市場の声に引きずられて技術開発への投資を止め、あとから実用化されて大きな収益源となる技術を取り逃がすことは、研究開発型企業がよく起こす失敗である。

一方で、黎明期の技術の将来性を初期から見定めるのは難しい。化ける可能性のある技術には、小規模の投資でインキュベートを続け、有望度が上がったものについて投資を増やしていくなど、粘り強い技術投資によって、持続的な成長が可能になる。実用化レベルに至る技術開発には、想像以上に時間がかかること、そして、技術の到達点は、往々にして人々が思うより高く、時間がかかっても、技術者の英知と工夫で実用化レベルまで改良が進むことが多い、ということを、よく頭に入れておく必要がある。

　サイエンス・ベースド・イノベーションにおいて、イノベーションの源泉となるサイエンスが、主にアカデミアで生み出される以上、大学や大学研究者がイノベーションに果たす役割は大変重要である。基礎研究だけでなく、その応用とイノベーション創出にも大きな貢献をする大学研究者像は、いくつかの切り口でこれまで研究されてきた。代表的な研究に、パスツール型研究者に関するものと、スター・サイエンティストに関するものがある。
　研究者には、主に純粋基礎研究に貢献を果たすボーア型研究者、応用研究で力を発揮するエジソン型研究者、そして基礎と応用の両方に力を発揮するパスツール型研究者がいる。パスツール型研究者は、微生物学で基礎的な原理を解明しつつ、低温殺菌やワクチンなど、その応用にも功績を残した科学者パスツールにちなんでいる。日本のパスツール型研究者に関する出色の実証研究として、藤島・橋本による光触媒を取り上げた研究がある。光触媒現象の発見や、酸化チタン薄膜が超親水性を示す発見、光触媒の効率を大幅に高める助触媒の発見など、両研究者が主導した東京大学の研究成果は、企業との産学連携を介して多くの製品に利用され、産業応用の成功例となった。光触媒分野では、論文数だけが多いボーア型でなく、論文と特許両方の数が多いパスツール型研究者との連携が、企業の研究開発生産性を高めることが統計的にも示されており、基礎と応用の両方に能力と志向性を示す大学研究者の存在が、サイエンスをイノベーションまでつなげるために重要であることがわかる。
　一方、よりサイエンス依存度の高い医薬・バイオ領域を中心に、高インパ

クト論文を多く発表し、卓越した研究成果を上げるスター・サイエンティストが、イノベーション創出にも大きな貢献をすることが示されてきた。カリフォルニア大学のズッカーとダービーが先駆的な研究を行ったスター・サイエンティスト研究は、その後、多くの研究者によって発展し、先端的な科学研究成果が、その成果をもたらした生産性の高いアカデミア研究者を介して、産業にも活用されるという、科学と商業化の好循環があることを示してきた。こうしたスター・サイエンティストは、自身も研究の場を比較的頻繁に変えながら、研究から得た知識（特に暗黙知）を、同僚や企業研究者に広げていく。それによって、研究成果を商業化に結びつける好循環を生んでいる。

　筆者の分析から、スター・サイエンティストの研究成果がイノベーションに貢献するパスには、少なくとも３つの類型があると考えられた。大学研究者自身が基礎と応用の両方を担うパターン（パスツール型）、企業研究者が新たな科学知見の応用ポテンシャルを見抜き、応用へとつなげるパターン（橋渡し型）、複数のスター・サイエンティストの研究成果を、企業や国が技術や資金面で適切に支援し、産学官の有機的な連携がイノベーションを導くパターン（エコシステム型）、である。パスツール型研究者やスター・サイエンティストのイノベーションへの貢献においては、研究者の気質や志向性、基礎を応用へと媒介する企業人材の存在や政策による支援、産官学のステークホルダー間の関係性など、多くの要因がイノベーション実現に影響する。それらは経路依存的でもあり、それぞれのプロジェクトごとに、最適解を模索しながら進めていくことが重要となる。

　大学の研究成果の商業化には、大学自身の取り組みや、産学連携が重要な役割を果たす。特に、サイエンスとイノベーションの間に横たわる死の谷をブリッジするベンチャー企業が、十分に育っていない日本において、既存企業と大学との産学連携は、とりわけ重要である。米国では、スタンフォード大学の遺伝子組み換え特許の経済的成功などが追い風となって、大学からの技術移転が推進され、1980年にバイ・ドール法が成立した。これによって、大学が公的資金で実施した研究を、知財化してライセンスしてよいことになり、大学がTLOを設置して積極的に技術移転を行うようになった。

日本では、約20年遅れて同様の法整備が行われ、大学の技術移転活動が活発化した。しかし、国内大学のライセンス収入はまだまだ少ない。また、大学知の商業化の動きによって、大学の研究が応用寄りとなり、基礎研究を主に実施してきた大学の応用研究の質が、課題視されている。アカデミア創薬を対象とした筆者の研究では、大学研究者単独の創薬研究は、産学連携による創薬研究と比べて、創出された医薬候補化合物の完成度が低い可能性が示唆された。単に大学知の商業化を推進するだけでなく、大学と企業の研究能力の特徴の違いをよく理解し、適切な棲み分けや連携を行うことが、大学の科学知を効果的にイノベーションにつなげていくために重要である。より近年は、官民ファンドを介した大学によるベンチャー設立支援や、AMEDによる医薬・医療機器分野での様々な技術移転支援など、新たな形での支援策が、我が国では打ち出されている。

産学連携は、研究者間の暗黙知の伝達、公表前の科学知識を扱うことによる先行者利益、コラボレーション効果など、サイエンス・ベースド・イノベーションの実現に多くの効果をもたらす。シリコンバレーや、バイオにおけるボストンなど、サイエンス・ベースド・イノベーションは、同じ地域に集積して起こることが多い。こうしたクラスターにおいては、科学知識を有した人材が交流し、資金も集まることで、産学連携が活発化し、成果を生みやすい。日本は、戦前まで、産と学を渡り歩く人材や、大学発の起業が活発で、産学連携先進国であったが、高度成長期に、大企業の自前主義による研究開発が主流となった。その後、バブル崩壊や産業構造の変化に伴って、より社外の知識を製品・サービス開発に生かす必要性が高まり、日本でも産学連携は以前より活発化している。しかし、その規模感は、米国等と比較してまだまだ小さい。政府は、産業クラスター政策や、産学共同研究の大型化をめざす動きなどで支援しており、大学と企業が、従来よりも大規模で体系的な産学連携の枠組みを設けて協働する例が増えている。

産学連携には、大学教員の利益相反の問題、企業ニーズと大学シーズのミスマッチ、大学教員の情報漏洩や知財意識の不足、アカデミアと企業の研究者マインドの違いなど、解決すべき問題も多い。しかし、サイエンス・ベー

スド・イノベーションを志向する既存企業にとっても、ディープテックを活用するスタートアップにとっても、イノベーションの源泉となるサイエンスを生み出す大学との連携は、必要不可欠である。日本の産学連携が、様々な課題を克服して、発展していくことを願いたい。

　最終部となる第5部では、サイエンス・ベースド・イノベーションを推進するうえで重要となる企業戦略について述べた。日本は、まだまだ大企業中心のイノベーションが多く、既存企業がとるべき戦略を考察することは、日本の読者を対象とした本書の狙いとして、大切だからである。むろん、サイエンス・ベースド・イノベーションは、ベンチャー企業が担い手となることも多く、特にディープテックはスタートアップの貢献が大きいが、ベンチャーのマネジメントについては、第2章に述べた。また、既存企業がスタートアップに投資したり、提携や買収を通じてイノベーションを手に入れたりするケースも当然多く、オープン・イノベーションを含めた既存企業の技術戦略の在り方を考察することは、サイエンス・ベースド・イノベーションのマネジメント上、重要な論点だろう。

　サイエンス・ベースド・イノベーションを実施するうえで考慮すべきことは、イノベーションの源泉となるサイエンスは、意図して生み出せない、という点である。また、萌芽期の科学技術は、その後の技術成熟度や応用展開を、初期から正確に予測することが難しい、という点である。その観点から、トップダウンでの戦略計画や、ポジショニングの考え方は、サイエンス・ベースド・イノベーションにはあまりそぐわない。むしろ、やりながら考える（learning by doing）創発的な戦略をとることが重要である。逆に、市場や製品ポートフォリオ等の見地から、重点領域を定めて技術開発投資を行ったとしても、その領域で狙い通りのサイエンスの発展が起こり、望む技術開発が進む保証はない。むしろ、サイエンスの進化が遅く、10年単位で画期的なイノベーションが起こらない分野もある。

　一方で、第1部で述べたように、サイエンスの発達が、既存産業をサイエンス化させたり、新たな事業機会をサイエンス主導でつくり出したりするケ

ースもある。こうした不確実性の高さを、どうコントロールしていくか、という点が、サイエンス・ベースド・イノベーションの企業戦略には、重要な点である。創発的にやりすぎることで、無駄に多角化し、リソースを集中すべき段階でできない、といったリスクには注意する必要があるが、予測できないことに対して最初から絵を描きすぎない、といった経営姿勢が肝要である。自社に強みがある基盤技術に立脚した技術戦略を描きすぎることも、サイエンスや技術の不確実性を考えると、同様に危険である。一方で、単に新たな技術を創発的に追求すればよいのではなく、既存技術が別の形で生かされたり、破壊的技術と併存させることで新たな強みをつくれたりする場合もある。技術と市場の関係性をよく見極めつつ、柔軟な技術戦略をとっていくことが大事なのである。

　オープン・イノベーションも、サイエンス・ベースド・イノベーションにきわめて重要な戦略となる。新たな科学知見や先進技術は、アカデミアや他のベンチャー企業など、社外で生まれることが多い。情報化社会とグローバル化が進み、旧先進国に加えて中国やインドなどの科学技術レベルが急速に上がっている昨今、イノベーションのタネとなるサイエンスは、世界中で発見・発明され、それは速いスピードで共有されていく。そうした時代に、自前主義の研究開発にこだわることは、スピードの面でも機会損失の面でも好ましくない。

　オープン・イノベーションは、既存技術の深化を図る社内の研究開発とバッティングすることがあり、オープン・イノベーションを推進しやすい組織体制を組むことが大事である。また、科学技術コミュニティに根づいたオープン・イノベーション仲介システムを活用したり、CVCをつくって投資したりするなど、社外探索のやり方にも工夫が求められる。オープン・イノベーションは、イノベーションのジレンマに対応する方策としても有効である。技術の不確実性ゆえ、サイエンス・ベースド・イノベーションの実現には、通常長い時間がかかり、その成功確率も読みにくい。社内に別組織をつくったり、オープン・イノベーションを活用して、現主力事業とは違う形で、小規模な投資によって新技術をインキュベートし、成長が見込まれる段階にな

　ったものについて、投資を拡大したり、外部組織を社内に取り込んだりすればよい。

　イノベーションから得られる利益を最大化するためには、専有可能性と技術機会を考慮することが必要なため、小規模投資で多くの技術機会をインキュベートし、期待値が大きくなったものの専有をめざすのは、理にかなったやり方である。専有可能性を高めるためには、特許で囲い込むのか、あえて技術のブラックボックス化を図るのか、といった高度な知財戦略も重要となる。

　社外のサイエンスを取り入れて自社研究開発を行う場合であっても、オープン・イノベーションで社外のイノベーションを取り込む場合であっても、対象となる科学知識や技術の専門的な内容を、しっかりと理解できなければ、ポテンシャルの高いものを見定めることはできない。この能力を、吸収能力という。吸収能力は、対象とする科学技術に対する専門性を磨いた個人が身につけられる能力である一方、適度に近い専門性を有したメンバーが知識を共有し合うことで組織として高める能力でもある。また、吸収した知識を、適切に製品化などのイノベーションに橋渡しできる能力も重要で、そこまで含めて吸収能力とする考え方もある。サイエンス・ベースド・インダストリーにおいて、吸収能力が企業パフォーマンスに正の影響を及ぼすことが、過去20年間の経営学実証研究で多く示されてきた。

　しかし、科学技術の専門性を高めて吸収能力を強めるには、その分野での長期に渡る研究開発の蓄積が必要であり、多様なサイエンスが出現して技術進化が速い昨今、吸収能力の醸成を企業の競争力とし続けることは、難しくなっている。特に、人材流動性の低い日本では、企業が力を入れたい科学技術領域が変わっても、新たに専門性のある人材を即座に雇用することが難しく、変化のスピードに乗り遅れてしまう。知識の非対称性も、サイエンス・ベースド・イノベーションにおける大きな課題である。研究開発現場が専門性を磨いて、有望な製品やサービス候補を創出したとしても、シニアや本社などに、高度な科学技術を理解するリテラシーが不足しているため、その価値を十分理解・把握できず、適切な意思決定ができない、という問題である。

　サイエンス・ベースド・イノベーションを志向する企業は、先進の科学技

術に明るく、常に情報を収集して勉強し、自らの科学技術に対する知識をアップデートし続けられる人材を、一人でも多く育成し、意思決定者に据えなければならない。その意欲と覚悟を持ち続けられる研究開発人材でなければ、サイエンス・ベースド・イノベーションを実現に導くことはできないのだ。

　サイエンス・ベースド・イノベーションのマネジメントを難しくしているのは、この先どんな新しいサイエンスが出現し、萌芽的技術がどこまで実用化レベルに進むのかを、最初から予測することがきわめて困難であるという将来予見性の低さである。また、取り扱う科学技術の専門性が高く、それを十分に理解して使いこなせる人材が限られる、という問題がある。このため、サイエンス・ベースド・イノベーションに対する戦略を立案することのハードルは高い。よくわからない科学技術が、この先どう進化するかも読めないのに、戦略を立てづらいからである。そのため、市場性や技術ロードマップを、技術素人の本社や経営陣が無理矢理予測して、現実にそぐわない戦略を立てて研究開発現場が疲弊したり、逆にわからないからと言って適切な戦略を準備できずに、行き当たりばったりの経営になったりすることが多い。経営学でも、サイエンス・ベースド・イノベーションの代表格である創薬は、問題よりも答えが先に出ることもある「ゴミ箱モデル」と称され、そのマネジメントは、ややさじを投げられていた感もあった。しかし、将来の技術や市場を読み切ることが難しかったとしても、サイエンスがどうやってイノベーションを生むのかのメカニズムを理論的に捉え、そこに働く力学を多面的に考察し、関わる要因やステークホルダーたちの関係性をどう調整すればよいかを考え抜くことで、サイエンス・ベースド・イノベーションの成功率を上げることは、必ずできる。

　サイエンスが拓く産業やビジネスは、広がる一方であり、サイエンスを制するものがイノベーションを制する時代になった。サイエンス・ベースド・イノベーションの実務と学術的理解が結びつき、日本のサイエンス・ベースド・イノベーションが繁栄すること、そして本書がその一助にわずかでもなることを願って、ここに筆を擱きたい。

本書に関連する著作の一部として、以下がある。

〈論文〉

Okuyama R, Tsujimoto M, Importance of drug target selection capability for new drug innovation: definition, fostering process and interaction with organizational management. Prometheus, 2020, 36（2）, pp.135-152

奥山亮、辻本将晴「アカデミア創薬の課題―創薬応用研究部分の能力に関する分析―」医療と社会、2017, 27（2）, pp.237-250 DOI: 10.4091/iken.2017.001

奥山亮、辻本将晴「アカデミア創薬の背景と現状―産学官各々の立場からの分析―」産学連携学、2017, 13（2）, pp.127-134 DOI: 10.11305/jjsip.13.2_2_127

Okuyama R, The types of scientific information and technologies acquired from university-industry relationships in the Japanese pharmaceutical industry-An empirical study from 1980 to 2012. International Journal of Technology Transfer and Commercialisation, 2015, 13（3/4）, pp.178-191 DOI: 10.1504/IJTTC.2015.075833

〈総説、インタビュー〉

奥山亮「激変する新薬開発の最前線 主戦場はバイオベンチャーへ」医療白書2019年度版 日本医療企画（株）2019, 第2編 第1章, pp.30-35

奥山亮「企業側からみたスター・サイエンティストとの協働と可能性：医薬品産業のケース」研究技術計画, 2019, 34（2）, pp.129-138

【本庶氏ノーベル賞】「スーパー研究者」出しても、日本の創薬が世界で勝てない本当の理由 BUSINESS INSIDER JAPAN, Dec. 11, 2018
https://www.businessinsider.jp/post-181170

索　引

【あ行】

著者プロフィール

奥山 亮（おくやま りょう）

1993年東京大学大学院薬学系研究科修士課程修了、2019年東京工業大学環境・社会理工学院イノベーション科学系（旧：大学院イノベーションマネジメント研究科博士後期課程）修了。1993年より、国内大手製薬企業の研究部門に勤務し、新規医薬品の研究開発と研究企画業務に従事。現在は、研究所長および領域研究グローバルヘッドを務める。薬学と技術経営の両分野で論文を多数発表している。博士（薬学）、博士（技術経営）。

サイエンス・ベースド・イノベーション
——ディープテックのマネジメント——

2020年10月31日 第1刷　　　定　価＝2000円＋税

著　者　奥　山　　亮　©
発行人　相　良　景　行
発行所　㈲　時　潮　社
174-0063 東京都板橋区前野町 4-62-15
電話 (03) 5915-9046
FAX (03) 5970-4030
郵便振替 00190-7-741179　時潮社
URL http://www.jichosha.jp
E-mail kikaku@jichosha.jp

印刷・相良整版印刷　製本・仲佐製本

ISBN978-4-7888-0743-3

時潮社の本

中東欧体制移行諸国における金融システムの構築
銀行民営化と外国銀行の役割を中心に

高田　公　著

Ａ５判・上製・260頁・定価6000円（税別）

ペレストロイカからベルリンの壁崩壊、ソ連邦解体から中東欧社会主義諸国
も資本主義体制へと体制移行に伴い、金融システムはどのような変化をもた
らしたのか。民営化、外国銀行の参入、EU加盟、2008年金融危機にどう対応
したのか。中東欧の金融システムの変化とグローバル化を解く。

グローバリゼーションの地理学

田中恭子　著

Ａ５判・並製・228頁・定価2800円（税別）

中南米は米国の裏庭と呼ばれ、米国は自分たちの意のままにしてきた歴史が
ある。今、グローバリゼーションの名の下、市場原理主義を掲げるネオリベ
ラリズムが跋扈し、世界が「米国の裏庭」化し、分断と格差が拡大。その実
態をIMF支配の歴史と地政学的見地から鋭く暴く。

物流新時代とグローバル化

吉岡秀輝　著

Ａ５判・並製・176頁・定価2800円（税別）

グローバル化著しい現代、その要でもある物流＝海運・空運の変遷を時代の
変化のなかに投影し、規制緩和と、9.11以降大きな問題となった物流におけ
るセキュリティ対策の実際を、米国を例にみる。

時 潮 社 の 本

多様性社会と人間

IT社会と経営・食文化・ダイバーシティー

澁澤健太郎・雨宮寛二・諸伏雅代　共著

A 5 判・並製・184頁・定価2800円（税別）

ITの急激な進歩・普及とグローバリゼーションの流れは社会構造を根底から
変えようとしている。ヒト・モノ・カネが国境を越え自由に往来する時代。
ITの急速な進歩は社会構造のシステム・チェンジを求めている。同時に多様
な価値観を受け入れていくことが各自に求められている。生活習慣・価値観
の違いを知ることがまずはその第一歩である。「社会経済、食生活・文化にお
ける多様性とは」を探る。

アフリカの日本企業

──日本的経営生産システムの移転可能性──

公文溥・糸久正人　編著

A 5 判・上製・388頁・定価3500円（税別）

アフリカへの日本的経営生産システムの移転可能性を、現地調査にもとづい
て分析する。日本企業のみならず、欧米企業や現地企業も日本的経営生産シス
テムを受容することが明らかになった。日本多国籍企業研究グループによる
地球を一周する海外工場調査のアフリカ版。

ビジネス基礎

─小売業と物流業を中心に─

美藤信也　著

A 5 判・並製・156頁・定価2800円（税別）

消費者ニーズが多様化し、ビジネスも多様化、グローバル化、規制緩和、イ
ンターネット社会の進展など環境は大きく日々変化している。無店舗小売業
の拡大等市場競争も激化。製造業・流通業・物流業の業態も高度化してきて
いるビジネス界を鳥瞰する。

時潮社の本

科学技術の環境問題

長谷敏夫　著

Ａ５判・上製・208頁・定価3000円（税別）

科学技術の進歩と発展は多くの利便性を与えてくれる一方、電磁波や化学物質による環境汚染や、人間の時空間をはるかに超えた放射性廃棄物の問題等が大きく立ちはだかっている。科学技術の発展がもたらす負の面を「予防原則」に立って検証する。

資本論が解く労働者の格差

資本と教育のディアレクティク

谷田道治　著

Ａ５判・並製・224頁・定価2500円（税別）

教育の市場化進展で、教育水準の違いによって人間自体の価値が違うとする認識を、『資本論』・宇野経済学の擬制資本論を適用して批判した、これまでにない著作。賃金が低いのは人間としての価値が低いからだと、自己責任のようにとらえる認識は、労働者の団結を妨げる。本著は、現実に労働者自身がこの観念に取り憑かれていることを剔抉する。

日本の労働者生産協同組合のあゆみ（ワーカーズ・コレクティヴ）

樋口兼次　著

Ａ５判・並製・224頁・定価3500円（税別）

新資料により日本における労働者協同組合の歴史を跡づけ、戦中期の満州合作社運動の影響と人脈をひもとき、国会に上程された「労働者協同組合法案」を批判。労働資本の具体化を提示する。